Gabriel Dumont

George Woodcock

LIDEC
INC.

Contenu Chapitre

1 **Les Dumont et les Métis** 3
2 **L'univers de la chasse au bison** 7
3 **L'apprentissage de la virilité** 11
4 **Chef de chasse** 17
5 **Le Soulèvement de la Rivière-Rouge** 20
6 **La république de Saint-Laurent** 23
7 **Ciel d'orage sur le Saskatchewan** 29
8 **L'arrivée de Louis Riel** 34
9 **Le Gouvernement provisoire** 41
10 **Le sang coule au lac Duck** 45
11 **La victoire de Fish Creek** 48
12 **La chute de Batoche** 54
13 **La longue route du retour** 61
Lectures complémentaires 64
Remerciements 64

L'auteur

George Woodcock demeure à Vancouver. Il est l'auteur de nombreux volumes dont une biographie fouillée de Gabriel Dumont.

Version française
Traduction:

Gabrielle et François Raymond
Rédaction:

Bernard-Pierre Paquet

© 1979 Lidec Inc.
1083 rue Van Horne,
Montréal, Québec, H2V 1J6

Version anglaise
Auteur:

George Woodcock

© 1978 Fitzhenry & Whiteside Limited,
150 Lesmill Road,
Don Mills, Ontario M3B 2T5

Imprimé au Canada   ISBN 2-7608-3248-1

Les Dumont et les Métis

Si vous voyagez, de Saskatoon en direction nord, le long de la Saskatchewan Sud, vous arriverez à un ensemble de poutres d'acier et de béton que l'on appelle le Pont Gabriel. Il s'élève sur l'emplacement de la maison qu'habitait Gabriel Dumont, conducteur d'un ferry sur la rivière. Cette maison fut incendiée par les soldats canadiens lors de la Rébellion du Nord-Ouest de 1885: il n'y a plus que le nom qui permette d'en identifier l'endroit. A quelques kilomètres au nord, dans le petit cimetière de Batoche qui surplombe la rivière, une vulgaire roche marque le lieu de sa tombe. A quelques mètres de celle-ci, la vieille église de bois porte encore les marques des boulets de l'historique bataille dans laquelle Dumont dirigeait les Métis aux derniers jours de la rébellion. D'autres signes visibles peuvent encore rappeler le souvenir de Gabriel Dumont. Ils ne sont pas au musée, qui n'a aucune relique de lui. Il n'a laissé aucun texte écrit, non plus, exception faite de quelques document rédigés par d'autres et au bas desquels il apposait une croix laborieusement tracée qui tenait lieu de signature. Car Gabriel Dumont, qui pourtant parlait tous les principaux dialectes indiens des Prairies aussi bien que le français, ne savait ni lire ni écrire.

Mais si Dumont est insaisissable de par l'absence de reliques palpables, puissant est son mythe cependant, et sa place dans l'histoire canadienne est aussi justifiée que celle de son peuple: les Métis. Ces derniers, ce sont des francophones issus du métissage ou du croisement d'Indiens et d'Européens venus de la Nouvelle France comme pelletiers ou commerçants de pelleteries (peaux de fourrure) et qui se mêlèrent aux indigènes des forêts nordiques d'abord, puis des Prairies. Initialement les français les appelèrent les *Bois-Brûlés*: ils avaient la peau de la couleur du bois carbonisé. Mais eux-mêmes ont toujours préféré le nom de Métis issu du verbe français *métisser*: croiser les races.

Les premiers pelletiers français, qu'on appelait des coureurs de bois, se frayèrent un chemin dans les forêts de l'ouest et du nord de Montréal, qu'ils appelaient le *pays d'en haut*. En 1696, à cause d'un

Au cours des expéditions de pelleteries annuelles, les Métis à l'emploi de la Compagnie de la baie d'Hudson portaient marchandises et canoës sur leur dos, à chaque portage.

surplus de pelleteries dans les entrepôts de Montréal et de Québec, le gouvernement de la Nouvelle France révoqua les permis des *coureurs*. Plusieurs d'entre eux ignorèrent les nouveaux règlements et demeurèrent en permanence dans le *pays d'en haut,* défiant la loi et devenant les pères d'enfants métis à qui ils donnèrent leurs noms, leur foi catholique et nombre de techniques européennes que ces enfants ajoutèrent aux savoirs indigènes transmis par leurs ancêtres indiens. Au fur et à mesure que les pelletiers français déménagèrent avec leurs fils métis dans les Prairies, ces derniers se marièrent à des femmes cries. Par la suite ils adoptèrent le cri comme langue seconde, eux qui parlaient déjà le français; le cri était la langue du négoce la plus répandue à l'ouest de la Rivière Rouge.

Le commerce des pelleteries se développant et gagnant sans cesse le Nord-Ouest, les Métis devinrent les rameurs des détachements de canoës de pelleteries, les manoeuvres des forts disséminés sur les rives et les lacs et les pourvoyeurs de viande de bison et de pemmican (une préparation de viande séchée et condensée, conservée dans son propre gras) qui constituaient la diète de base des pelletiers. Dans les débuts, les pelletiers avaient coutume de revenir, chaque automne, à leurs points d'attache: Montréal ou le Lac Supérieur. Avec les années cependant, ils se mirent à hiverner dans la vallée de la Saskatchewan. C'est ainsi que les Métis en arrivèrent à faire partie de la population sédentaire des plaines de l'Ouest.

Quelle est l'étendue actuelle de la population métisse au Canada et quelles régions canadiennes habite-t-elle?

L'un de ces *voyageurs* qui vint, dans les années 1790, à l'ouest de la Saskatchewan et se trouva un emploi à la Compagnie de la baie d'Hudson était un francophone de Montréal: Jean-Baptiste Dumont. Il est probable que Dumont entra au service de cette compagnie à la Maison Edmonton, fondée en 1795. On le retrouve plus tard en service au fort Carlton, puis au fort Pitt, tous deux situés sur la Saskatchewan Nord. Il se maria à une pure Indienne de la tribu des Sarcis, un mariage "à la mode du pays", c'est-à-dire pour lequel seul était requis le consentement des parents, puisqu'il n'y avait encore aucun prêtre à l'ouest de la Rivière Rouge. Les Sarcis étaient une tribu réputée de cavaliers et de chasseurs de bison, qui vivait sur les collines de la rivière Athabaska. Ces liens avec cette tribu de chasseurs indigènes contribuèrent, d'une part, à cette maîtrise du savoir des Prairies pour laquelle les fils et petits-fils de Jean-Baptiste furent honorés chez les Métis et, d'autre part, à leur influence sur les Indiens des Plaines.

Jean-Baptiste, qui vécut et mourut dans la vallée de la Saskatchewan, eut trois fils: Gabriel, Jean et Isidore, et au moins une fille. Ce fut Isidore qui devint le père du Gabriel Dumont de la célèbre Rébellion du Nord-Ouest. S'il faut en croire la description du chasseur canadien John Kerr, les fils de Jean-Baptiste devinrent des colosses de "plus d'un mètre quatre-vingts de taille... et puissamment constitués". Ils vivaient de la chasse. L'été ils tuaient le bison et en vendaient le pemmican et le cuir à la Compagnie de la baie d'Hudson. L'hiver ils trappaient les animaux à fourrure et trafiquaient avec les Indiens qu'ils croisaient. Ils menaient la rude vie des nomades et s'étaient acquis auprès des officiers de la compagnie une réputation de bons trappeurs et de bons chasseurs. Les Indiens voyaient en eux de courageux combattants.

Le prestige d'Isidore Dumont était à ce point remarquable chez les Cris que, pour rendre hommage à sa crédibilité, ils lui conférèrent le nom d'Ai-caw-pow: L'Incorruptible. En 1833, à l'âge de 23 ans, il se mariait à Louise Laframboise, fille d'un chasseur métis comme lui. Trois ans plus tard, accompagné de sa femme et de ses deux enfants Isidore et Pélagie, il attelait ses charrettes et entreprenait le long voyage à l'est qui les conduirait à Rivière-Rouge. Le père de Louise Dumont et d'autres chasseurs formant escorte les accompagnaient pour leur commune protection contre les bandes de Sioux errants des prairies canadiennes.

Le long de la Rivière Rouge, les Métis avaient commencé de s'établir en petits villages, tels Saint-Boniface, Saint-Vital et Sainte-Agathe, construits en direction sud, du fort Garry à la frontière canado-américaine. A White Horse Plains, à vingt-cinq kilomètres ouest sur la rivière Assiniboine, il y avait un campement présidé par Cuthbert Grant, le célèbre Gardien des Plaines qui dirigeait la grande chasse annuelle au bison, de la Rivière Rouge aux prairies de l'Ouest. Issu de Français, d'Ecossais et d'Indiens, il se considérait comme le patriarche de la nation métisse.

Cette idée d'une nation métisse, qui devait jouer un si grand rôle dans le Soulèvement de la Rivière Rouge de 1869 et dans la Rébellion du Nord-Ouest de 1885, remontait aux premières années 1800. On en parla d'abord quand la Compagnie du Nord-Ouest eut une âpre querelle avec la Compagnie de la baie d'Hudson et lord Selkirk sur les droits d'accès et de chasse dans la région de la Rivière Rouge. Les gens de la Nord-Ouest, dont c'était l'intention de se servir des Métis comme d'une armée privée, les encourageaient à se considérer comme une nation qui, en vertu de leur souche indienne, avait certains droits sur la vallée de la Rivière Rouge et sur les prairies de l'Ouest. A ce titre, les Métis se battirent, sous les ordres de leur "capitaine général" Cuthbert Grant, contre les colons de Selkirk, tuant le gouverneur Semple au cours d'une escarmouche connue sous le nom de Bataille des Sept Chênes, tout près du fort Garry, en 1816. La chanson commémorant cette bataille, oeuvre du chasseur poète Pierre Falcon, devint une espèce d'hymne national métis. Dans les années 1830, quand les Métis de la Rivière Rouge, devenus moins nomades, acquirent des maisons pour y passer l'hiver tout au moins, l'idée de leurs droits d'aborigènes de s'établir dans les Prairies refit surface.

Qui étaient donc les colons de Selkirk et pourquoi y avait-il conflit entre eux et les Métis?

L'univers de la chasse au bison

Isidore Dumont s'établit à Saint-Boniface, sur l'une de ces longues fermes étroites en bordure de la Rivière-Rouge. Au recensement de 1838, il avait labouré un hectare et demi pour y semer de l'orge et des pommes de terre. Ses cinq chevaux paissaient sur le reste de sa terre. Il construisit lui-même une maison de torchis et une grange. Il avait un canoë à bord duquel il pêchait sur la Rivière Rouge et le lac Winnipeg. Beaucoup mieux encore peut-être, il avait quatre charrettes entièrement fabriquées de bois: c'était la prospérité! Il pouvait charger ses quatre charrettes de viande séchée et de pemmican, au temps de la chasse au bison. En d'autres moments, il pouvait gagner de l'argent dans le transport de cargaisons à Pembina, dans le territoire américain, par la piste qui longeait la Rivière Rouge.

C'est à cette époque exceptionnellement stable de la vie d'Isidore Dumont que naquit, en décembre 1837, Gabriel, son second fils. Toutefois Isidore commençait à en avoir assez de cette vie harassante de fermier riverain. Il regrettait sa liberté perdue, sa vie errante passée et, en 1839, il se défit de sa ferme et s'en alla retrouver son beau-père. L'été suivant Isidore se prépara à retourner au fort Pitt, non sans toutefois prendre part à la célèbre chasse au bison de 1840.

Chaque année, depuis son arrivée à Saint-Boniface, Isidore Dumont avait pris part à la grande cavalcade annuelle en quête de troupeaux de bisons. Mais cette expédition de 1840 fut différente, non seulement parce qu'elle fut la plus vaste à ne jamais quitter la Rivière Rouge, mais aussi parce qu'elle comptait, pour la décrire dans son volume *La Colonisation de la Rivière Rouge*, Alexander Ross, l'un des meilleurs conteurs d'histoires des débuts de l'Ouest. L'expédition regroupait 1630 personnes dont 400 chasseurs de bison et 400 enfants, au nombre desquels le jeune Gabriel de trois ans perché sur l'auvent d'une des charrettes cahotantes de son père. Les 800 autres personnes étaient les femmes des chasseurs, les marmots trop jeunes pour chasser, des vieillards et quelques hommes trop pauvres pour avoir leurs propres chevaux mais

Une cavalcade de Métis en route pour la chasse au bison

capables d'aider au séchage de la viande et à la préparation du pemmican. Douze cents charrettes formaient le centre de la cavalcade, crissant tout le jour sur leurs essieux de bois non graissés. Disposées en cercles, la nuit, elles servaient à protéger le campement. Outre les chevaux et boeufs qui les tiraient, on comptait quatre cents chevaux reconnus comme bons coureurs de bisons et propriété des chasseurs. Tout le défilé, accompagné de plus de cinq cents chiens, s'étendait sur huit kilomètres dans la prairie. Des centaines de loups et de coyotes suivaient dans l'espoir de se repaître des restes écartés des bêtes abattues.

Selon Ross, cette expédition aux allures très lourdes était organisée et dirigée d'après une constitution à la fois pratique et démocratique. Les chasseurs venus des divers points de la vallée de la Rivière Rouge se rassemblaient à Pembina, avec leurs charrettes et chevaux. Là ils élisaient leurs officiers et statuaient des règlements très précis. Ils procédaient à la nomination de dix capitaines de chasse et nommaient l'un d'eux grand chef de guerre ou chef de camp; dans toutes les réunions, il occupait la place d'un président. En 1840 celui qui avait été élu chef était un sang-mêlé écossais élevé chez les Métis et qui se nommait Jean-Baptiste Wilkie. Beaucoup plus tard, ce Jean-Baptiste deviendra le beau-père de Gabriel Dumont, et il est fort plausible que Gabriel ait pu voir, au cours de cette chasse, sa future femme Madeleine, car elle était née plus tôt cette année-là, à Pembina, du mariage de Jean-Baptiste Wilkie et d'Isabella Azure.

Avant de quitter Pembina, Wilkie réunit ses capitaines et les autres chefs chasseurs, dont Isidore Dumont, afin de faire adopter les règlements de la chasse. Ces règlements, en tout point semblables à ceux de toute autre chasse, interdisaient à tous d'effrayer le bison avant le début de la chasse collective, précisaient les devoirs des officiers et prévoyaient les punitions, depuis l'humiliation publique jusqu'à la flagellation publique en cas de récidive. Ross nous apprend que chacun des dix capitaines de Wilkie commandait dix soldats et que chacune de ces dizaines put maintenir l'ordre, à tour de rôle et jour après jour. Il y avait également dix guides qui avaient chacun leur jour pour porter l'étendard de l'expédition.

Chaque soir les capitaines de même que les chasseurs d'expérience tenaient conseil, discutant des événements de la journée, planifiant le lendemain. Chacun avait son fusil et sa blague à tabac dans les mains ainsi que sa pipe à la bouche. Ross observa que leurs discussions étaient sans contraintes, marquées au coin de l'utilité et intéressantes. Il remarqua leur soif de liberté et leur fierté de pouvoir en jouir: "Conscients de leur propre force, du fait d'être armés et exempts de toute forme de contrôle, ils méprisent les autres; mais, par-dessus tout, ils tiennent merveilleusement à leurs propres coutumes originales. Ils chérissent la liberté, tout comme ils chérissent la vie."

Tels étaient les Métis, à la hauteur de leur fierté et de leur bonne fortune, quand les troupeaux de bisons semblaient inépuisables et qu'il n'existait, dans l'Ouest, aucune forme de gouvernement en dehors des forts des pelletiers. Les Métis étaient peut-être des sans-loi, au sens qu'ils n'avaient aucun gouvernement structuré. Mais il faut admettre, avec Ross et plusieurs autres observateurs, que le succès de leurs chasses au bison était le fait des règles et contraintes qu'ils acceptaient de plein gré et respectaient. Ce sont ces hommes qui peuplèrent l'enfance de Gabriel Dumont: il les admira, les imita. Il allait en devenir l'un des derniers exemples, et peut-être le plus accompli.

Comme toutes les grandes chasses au bison, celle de 1840 avait son prêtre. Quand il avait célébré la messe le matin du départ, l'étendard était déployé. Et l'on se mit en marche, en direction des plaines, au rythme des charrettes tirées par les boeufs. Dix-neuf jours de voyage avant d'apercevoir les premiers troupeaux sombres et serrés, dans la prairie américaine, quelque part tout près de la rivière Missouri!

Les Métis chassaient le bison en fonçant tous ensemble sur le troupeau, tirant presque à bout portant. Cela exigeait une grande coordination. Ils devaient tous s'élancer en même temps; autrement, le troupeau

Tir de plein fouet sur un bison

pouvait paniquer trop tôt, et la chasse échouer de la sorte. Ross décrit ainsi l'entrée en chasse:

Pas moins de quatre cents chasseurs, tous à cheval et dans l'attente anxieuse d'entendre le mot "Partez!", prirent position sur une ligne, à une extrémité du campement pendant que le capitaine Wilkie, la lunette d'approche à son oeil, étudiait le bison, interrogeait le terrain et donnait ses ordres. A huit heures toute la cavalcade foulait le sol et prit, contre le bison, un trot lent d'abord, puis le galop et enfin la pleine vitesse.

Ce jour-là, le premier, 1375 bisons étaient tués. Tirant de la hanche et chargeant au galop, les meilleurs chasseurs tuèrent de dix à douze bêtes chacun. A l'arrivée des charrettes, les chasseurs au travail dépiautaient déjà leurs victimes. Les cadavres ramenés au campement, les femmes prirent la relève, préparant le pemmican, mettant à sécher les bandes de viande et curant les cuirs.

A la mi-août l'expédition rentra à Rivière-Rouge. Son chargement de cinq cents tonnes de pemmican et de viande séchée confirmait le succès de l'expédition, même si, comme le notait Ross, on avait laissé aux loups au moins une égale quantité de bonne viande. Quant à Isidore Dumont, il échangea à la Compagnie de la baie d'Hudson une partie du pemmican et des cuirs qui lui étaient dévolus en partage contre des marchandises qu'il pourrait troquer avec les Indiens. Il garda le reste comme provisions en vue du long voyage qu'il allait entreprendre, en direction nord-ouest et par la piste de Carlton, pour retourner au pays de la Saskatchewan.

L'apprentissage de la virilité

Même si, à cause de son bas âge, Gabriel Dumont ne pouvait pas se remémorer le voyage au pas de charrette qui l'avait déraciné de là, cette vallée de la Saskatchewan allait être la source de ses premiers souvenirs. Le fort Pitt, home de son enfance, était, comme Paul Kane le décrira en 1847, un petit fort propre et dense, fait de constructions blanchies à la chaux à l'intérieur d'une enceinte à deux tourelles surmontées chacune d'un gros fusil. Le fort était situé entre le territoire des Pieds-Noirs et celui des Cris de façon à pouvoir commercer avec les deux tribus ennemies entre elles de longue date. Mais il y avait tellement de bisons dans cette région que le commerce des pelleteries n'avait qu'une importance secondaire au fort Pitt. Le fort servait surtout de dépôt d'approvisionnements, accumulant des stocks de pemmican et de viande séchée afin d'assurer la survie, l'hiver, de pelletiers d'ailleurs, riches en peaux, mais pauvres en gibier comestible.

L'hiver, Isidore Dumont et ses compatriotes métis demeuraient près du fort dans de rudimentaires abris faits de troncs d'arbres qu'ils construisaient eux-mêmes afin d'hiverner. L'hiver, ils avaient le gibier à la portée de la main; mais, l'été, ils devaient aller très loin, voyager en nomades. Ils chargeaient tous leurs biens dans des charrettes et campaient sous des tentes faites de peaux, tout comme leurs alliés indiens. Ils suivaient le bison, pêchaient au filet le corégone ou poisson blanc des lacs et trafiquaient sur une petite échelle avec des groupes isolés d'Indiens qui n'allaient pas au fort.

C'est dans cet univers de demi-nomades que grandit Gabriel Dumont. Au centre de cet univers, il y avait le fort Pitt et, à ses deux extrémités, l'habitation d'Edmonton et le fort Carlton. Quant à ses habitants, c'était un mélange de pelletiers écossais, de voyageurs et chasseurs métis et d'Indiens de nombreuses tribus. Les Indiens traitaient les Métis en parents éloignés, leur permettant même souvent de se joindre à eux dans leurs chasses au bison. Encore garçonnet, Gabriel se fit beaucoup d'amis sincères chez les Cris de son âge. Lors des voyages d'affaires de son père, il visitait le peuple de sa grand-mère, les Sarcis: il en vint aussi à connaître les

Cris et trafiquants au fort Pitt

Pieds-Noirs et les Gros-Ventres, les Assiniboines et les Sioux. Il avait une facilité remarquable pour les langues: il en vint à parler six dialectes indiens et le français; quant à l'anglais, il n'en apprit guère plus que quelques mots. Malgré cela, il fut un illettré: il n'y avait aucune utilité à savoir écrire dans ce monde de chasseurs des Prairies.

Nous savons peu de chose de Gabriel et de sa famille entre le moment de son arrivée au fort Pitt en 1840 et ce jour de printemps 1848 où Isidore Dumont prit la décision de se joindre à une caravane de chasseurs qui retournaient à Rivière-Rouge. On peut supposer que sa vie suivit le cours normal des choses au rythme des saisons: on chassait quand la chance souriait, on trafiquait avec les Indiens, on festoyait et dansait ou l'on se reposait quand la chasse et le commerce étaient bons. Isidore et Louise eurent cinq autres enfants et six des huit petits Dumont survécurent aux hasards de la mortalité infantile et des épidémies de petite vérole qui décimaient, de temps à autre, la population des Prairies.

Gabriel Dumont ne se contenta point de survivre. Il devint un garçon robuste et massif. Il n'atteignit jamais la taille de son père ni de ses oncles, mais il acquit une exceptionnelle carrure d'épaules et une énorme poitrine. Sa figure était forte et bien moulée: les pommettes étaient hautes, à l'indienne; l'oeil sombre et perçant était l'oeil de ceux-là qui ont à voir loin et large; la bouche était assez lippue. L'impression générale qui s'en dégageait en était une de grande vitalité physique.

Il y a toutes sortes d'éducations qui, toutes, ne dépendent point de la lecture et de l'écriture. Celle de Gabriel fut une réussite en son genre puisqu'elle en fit un bon chasseur et un homme des Plaines. A l'âge de dix ans, il pouvait monter un poney et le dresser. Bien avant qu'on pût lui donner un fusil, il pouvait tirer, avec une précision fatale, de l'arc, tout comme les compatriotes sarcis de sa grand-mère. C'est d'eux qu'il apprit aussi l'art difficile et rare de l'appel du bison. Il prit part à quelques-uns de leurs abattages de bisons en faisant courir les bêtes dans d'immenses chausse-trappes. Il était bon pêcheur, bon canotier et, ce qui était rare chez les Métis, excellent nageur. Il devint l'un des meilleurs guides métis et, comme le dira un jour un de ses amis, Gabriel Dumont connaissait la prairie "comme un mouton connaît sa lande".

Nous ne savons pas de façon sûre pourquoi Isidore Dumont décida de quitter, en 1848, les bonnes chasses du fort Pitt. Ce pourrait avoir été par nomadisme, la grande majorité des Métis répugnant à s'établir où que ce fût. Ce pourrait avoir été à cause de la rumeur qui courait que la colonie de Rivière-Rouge était agitée: les Métis voulaient avoir leur part du commerce avec les Etats-Unis dont la Compagnie de la baie d'Hudson avait encore tout le monopole. Isidore Dumont et ses amis chasseurs, Alexis Fisher et Petit Cayen, durent assurément discuter de cette question comme leur petite cavalcade traversait les collines et les pâturages de la piste de Carlton. Pour un Gabriel de dix ans, c'était les incidents plus immédiats du voyage qui étaient passionnants, notamment celui qui lui valut son premier fusil.

Une nuit, près du fort Ellice, le camp était assiégé par de cruels moustiques. On demanda au jeune Isidore et à Gabriel d'aller faire des feux de fumée du côté du camp d'où venait le vent et, comme ils étaient à ramasser des branches mortes dans un boqueteau croissant non loin de là, Gabriel entendit des bruits de sabots. Il crut que le camp allait être attaqué, par les Sioux, qui souvent faisaient des incursions dans cette région, et courut prévenir son père. Il voulait être de la défense et demanda l'un de ces fusils à pierre dont se servaient les chasseurs. On éteignit les feux en vitesse et Isidore Dumont partit en direction du boqueteau. Là il s'agenouilla et tendit l'oreille contre le sol. Il se releva, l'air soulagé: Ce ne sont pas des cavaliers, mais des bisons, lança-t-il. Quelque temps après, le troupeau sortait de la noirceur, courant le long du campement. Puis, quand les chasseurs et leurs familles se furent rassemblés autour du feu rallumé, ils se gaussèrent de Gabriel et de son erreur. Mais son oncle Alexis Fisher fit observer que, si le garçon ne savait pas encore distinguer entre le bruit de sabots des chevaux et des bisons, il n'en demeurait pas moins vrai qu'il avait largement fait preuve de courage. Quand il avait cru que c'étaient les Sioux, il n'était pas allé se cacher dans le giron de sa mère, mais il avait demandé un fusil. Son

Une famille de Métis

fusil, il devait l'avoir! Fisher prit un mousquet neuf encore plein de chaume et le donna à Gabriel qui le nomma "Le Petit". C'est le nom qu'il donnera à tous ses fusils favoris. Il devint bientôt aussi habile avec son fusil qu'avec son arc indien.

Isidore Dumont n'allait pas s'installer sur une ferme dans l'un des villages de la Rivière Rouge. Il choisit plutôt de s'arrêter à White Horse Plains, dans la vaste prairie à l'ouest du fort Garry, là où la population comptait surtout des nomades vivant dans des abris rudimentaires, non loin de l'Assiniboine, et passant le plus clair de leur temps à chasser et trafiquer. C'est là que les Dumont passaient l'été. C'est de là qu'ils se joignaient aux expéditions annuelles de chasse au bison dans le Missouri. L'hiver ils se rendaient aux lacs Qu'Appelle où Isidore s'était construit un autre abri en bois ronds, à la métisse. Ici il faisait des affaires avec les Indiens du lieu, échangeant des couteaux, des hachettes, des couvertures, des munitions et, parfois, un peu d'eau-de-vie contre des robes de bison, des peaux de loup et, de temps à autre, de renard et de castor.

A l'été de 1851, un incident dramatique rompit la routine: la grande chasse de cette année-là se clôtura par la Bataille de Grand-Coteau où les Métis de White Horse Plains gagnèrent contre les Sioux. Cet été-là trois cents personnes incluant soixante-sept chasseurs et le jeune Gabriel quittèrent White Horse Plains, placées sous le commandement de Baptiste Falcon et accompagnées du père Laflèche, grand-vicaire de l'évêque de Saint-Boniface. À Pembina, ils tinrent une réunion avec les chasseurs du village de Rivière-Rouge; toutefois, à cause d'un différend que l'histoire n'a pas retenu, ils décidèrent d'aller leur chemin, tout en gardant le contact avec la majorité en cas d'ennuis.

Le groupe de White Horse Plains se mit en marche en direction du lac Devil dans le Dakota. Après plusieurs jours de voyage sans incident, ils atteignaient l'escarpement qui s'étend du Missouri aux prairies canadiennes. Connu sous le nom de Grand-Coteau, ce lieu présente des buttes découvertes, des moraines et des coulées boisées. L'endroit regorgeait de gibier; mais c'était aussi un lieu tout désigné pour les embuscades. En s'avançant derrière leurs éclaireurs, les Métis découvrirent un grand campement de Sioux: de 500 à 600 abris, ce qui voulait dire environ 2 500 guerriers. Les Métis ignoraient que les Sioux s'y étaient rassemblés pour mettre un terme à la chasse des gens de la Rivière-Rouge sur un territoire que ces Sioux jugeaient appartenir aux Indiens. Craignant une attaque, les Métis firent halte et se mirent à convertir leur train de charrettes en forteresse.

Les deux cents charrettes furent placées en cercle, roue contre roue. Les timons furent poussés dans les roues, de charrette à charrette, pour empêcher qu'elles ne fussent tirées de l'extérieur. La literie et les ballots de viande et de pemmican furent pressés sous les charrettes pour renforcir la barricade en dedans de laquelle les animaux étaient attroupés. Les femmes et les enfants s'abritèrent dans des tranchées peu profondes. A cinquante mètres à l'extérieur des charrettes, les chasseurs creusèrent des trous de tirailleurs formant cercle sur l'espace découvert.

Dans l'intervalle les Sioux avaient surpris cinq chasseurs métis venus les épier. Deux d'entre eux purent s'échapper et donner l'alerte. Les soixante-quatre chasseurs restants, Gabriel et douze autres garçons capables de manier le fusil gagnèrent, sur-le-champ, leurs trous de tirailleurs. Isidore hésitait à mettre en danger son jeune fils de treize ans, mais Gabriel insista et resta à son poste durant toute la bataille. Il s'allongea derrière des sacs de viande séchée où, comme il le racontera plus tard, il pouvait "manger les remparts". Le seul homme qui ne toucha point à un fusil, ce fut le père Laflèche. Il resta dans le cercle de charrettes, réconfortant femmes et enfants. Mais il avait une hache tout près de lui au cas où les Indiens parviendraient à briser le cercle de charrettes.

Mais le cercle ne sera jamais brisé. Le premier jour les Indiens engagèrent de vagues pourparlers dans l'intention de tromper les Métis. Les Indiens s'étant retirés à la nuit, Baptiste Falcon envoya des messagers à la rencontre du groupe de la Rivière Rouge. Durant la nuit, sous une éclipse de lune, ses factionnaires montèrent la garde dans la plus vive appréhension. A l'aube, le père Laflèche célébra la messe. Comme il la terminait, les Indiens se montrèrent, parés pour la bataille et chantant des chants guerriers. Aux yeux des Métis, ils semblèrent innombrables sous les premiers bas rayons d'un soleil clignant sur les fusils et les fers des lances. D'autres pourparlers entre le chef White Horse (Cheval-Blanc) et les dirigeants métis ayant échoué, les Indiens débutèrent leur attaque, à leur façon traditionnelle: ils chargeaient farouchement, sans cesser de faire tourner leurs montures autour du campement et de tirer du fusil et de l'arc. Dans la cohue, deux prisonniers métis s'échappèrent, mais le troisième fut repris et tué par les Indiens. Quant aux tirailleurs métis, ils maintinrent un feu nourri pendant que le père Laflèche, tenant bien haut son crucifix, exhortait les défenseurs au courage.

La bataille se solda par une impasse: si les Indiens avaient réussi à contrer la marche des Métis, ce n'avait été qu'au prix de leur propre exposition au feu des chasseurs invisibles. Après avoir perdu, aux dires des Métis, quatre-vingts guerriers, les Indiens retraitèrent à la tombée du jour, sous l'orage. L'un de leurs chefs cria: Les hommes à charrettes ont un manitou avec eux; c'est pourqoi nous ne pouvons pas les tuer! Il parlait du père Laflèche. Dans l'esprit des Sioux, l'éclipse de la nuit précédente et la brusquerie de l'orage électrique, qui avait mis un terme au combat, avaient quelque chose à voir avec les gestes du prêtre aux habits voyants.

Le lendemain matin les Métis décidèrent de retraiter en direction du groupe de la Rivière Rouge. Ils se firent encore précéder d'un détachement d'éclaireurs et, cette fois, divisèrent les charrettes en quatre colonnes afin de pouvoir prendre une position défensive au moindre signal. Ils n'avançaient que depuis une heure quand un des éclaireurs signala que les Sioux les pourchassaient. Très vite on mit les charrettes en cercle et la défensive reprit. Les Sioux chargèrent et escarmouchèrent, mais en vain. Après cinq heures de lutte, il y eut un autre bon orage électrique: les Sioux tournèrent une dernière fois autour du campement en poussant des cris et s'enfuirent. Peu de temps après, les chasseurs de la Rivière Rouge s'amenaient, accompagnés de trois cents Indiens saulteaux. Les Sioux ne revinrent pas. En fait, ce fut là leur dernier grand combat contre les Métis.

Chef de chasse

Gabriel Dumont sortit très emballé et sans éraflure de sa première bataille. Même s'il n'était encore qu'un adolescent, il avait subi avec succès l'une des épreuves qui, dans l'univers métis, conduisent à la reconnaissance de la virilité. Il travailla ferme à parfaire son adresse à cheval et tout ce qui distinguait un homme. Il acquit une telle dextérité qu'il pouvait, de son cheval, tirer dans la tête d'un canard, à cent pas. Il sut allier ces deux habiletés en un parfait synchronisme auquel n'atteignaient que les meilleurs chasseurs de bison quand ils lançaient leurs montures à toute allure contre le troupeau. Ces années durant lesquelles il s'exerçait à l'excellence furent marquées par des changements qui affectaient la chasse au bison. Le bison se faisant plus rare dans les prairies du centre, les chasseurs de White Horse Plains se mirent à chasser plus au nord-ouest. Ils en vinrent à hiverner plus souvent dans les régions du fort Ellice ou du fort Qu'Appelle, même si la Rivière Rouge demeurait leur principal lieu d'échanges. Il s'ensuivit qu'ils développèrent des relations plus étroites avec les Indiens des plaines de l'Ouest, ce qui donna l'avantage aux Dumont dont les ancêtres étaient des Sarcis. Fort de ces liens, Gabriel profita de son adolescence pour parfaire ses talents inégalés de chasseur de prairie et de combattant de même que sa connaissance des dialectes parlés dans la majorité des tribus vivant de chaque côté de la frontière canado-américaine.

La petite vérole était l'une des maladies les plus mortelles que les Indiens de l'Amérique du Nord contractaient des Européens. Quelles étaient les autres?

L'année 1858 prit une particulière importance pour Gabriel. D'abord, il y eut une grande épidémie de petite vérole: Isidore et sa famille errèrent dans la vallée de la Saskatchewan afin de fuir la maladie. C'est là que mourut sa mère Louise, de la tuberculose probablement, qui sévissait déjà parmi les Métis, comme un fléau. Puis Gabriel se maria à Madeleine Wilkie, la fille de Jean-Baptiste, chef de plus d'une chasse au bison depuis 1840 et devenu trafiquant au fort Ellice.

Madeleine, jeune fille de dix-huit ans, fraîche et capable, fut une excellente partenaire. Elle accompagnait souvent Gabriel à la chasse, endurant volontiers la vie dure et le travail. Elle s'occupait beaucoup du commerce de la famille et devait quelquefois, en compagnie d'autres Métis, emprunter la piste de Carlton jusqu'à Winnipeg pour aller vendre les peaux et les cuirs que Gabriel avait recueillis. A la différence de Gabriel, elle parlait l'anglais, ce qui était un avantage certain pour le commerce. On la disait pieuse, accueillante pour les missionnaires et toujours prête à aider les moins fortunés. Elle et Gabriel étaient donnés l'un à l'autre et,

Gabriel Dumont

en termes métis, leur relation avec les autres en était une d'un commerce exceptionnellement facile. Un jour qu'un Indien s'était mal conduit envers Madeleine, Gabriel le releva: "Nous sommes toujours ensemble, et ce qui lui est fait est comme si c'était fait à moi." Ils n'eurent pas d'enfants, ce qui les chagrina beaucoup tous deux. Pour combler ce vide, ils adoptèrent une fille appelée Annie, une parente probable de Madeleine, et, quelques années après, Gabriel put traiter, comme son propre fils, Jean, l'enfant de son cousin Alexis Dumont.

Dans les années qui suivirent son mariage, Gabriel continua à chasser au pays de la Saskatchewan et à trafiquer à la Rivière Rouge. Il acquit bientôt la réputation d'être, non seulement bon chasseur, mais aussi bon porte-parole et diplomate accompli dans les relations Indiens-Métis lesquels se partageaient encore la possession des Prairies. Les Métis et les Cris, à qui tant de sang-mêlé étaient apparentés, avaient toujours vécu dans une relative harmonie; les Sioux cependant étaient restés hostiles. En 1862, finalement, quand les chefs sioux comprirent que leurs tribus étaient menacées par les progrès des Américains, ils décidèrent que le temps de faire la paix était venu. Les chefs du clan Dumont (Gabriel, son père Isidore et son oncle Jean) rencontrèrent les chefs sioux au lac Devil dans le Dakota et s'entendirent sur des conditions de paix que les uns et les autres respecteront toujours. Quelques années après, les Dumont étaient encore les responsables d'une entente similaire avec les Pieds-Noirs.

C'est au temps du traité avec les Sioux que Gabriel devint le chef d'un petit groupe de chasseurs du pays de la Saskatchewan et qui voyageaient ensemble pour leur commune protection, même en dehors des grandes chasses annuelles. Peu de temps après, avec d'autres groupes venus des collines de Touchwood, ils se transportèrent à proximité du fort Carlton. Il y avait là plus de deux cents chasseurs qui décidèrent de se regrouper afin de réglementer la chasse, comme on l'avait fait à la Rivière Rouge, et de se donner un chef permanent. Ce fut Gabriel qui fut choisi et qui devint, à vingt-cinq ans, chef de chasse pour le Saskatchewan. Il le restera pour tous les Métis qui hiverneront dans cette région. Il devait assumer cette fonction à un moment crucial de l'histoire des Métis, celui d'où ils voyaient déjà poindre la fin de leur vie de nomades.

Chapitre 5

Le Soulèvement de la Rivière Rouge

Des os de bisons couvrent la prairie.

Quand Paul Kane vint, en 1848, au pays de la Saskatchewan, il constata que les bisons étaient si nombreux et si apprivoisés qu'on en retrouvait dans l'enceinte du fort Pitt: "Ils devaient probablement émigrer plus au nord, laissait-il croire, pour échapper aux migrations humaines peuplant très rapidement les régions du sud et de l'ouest qui leur servaient de pâturages." L'hypothèse de Kane était juste. L'abondance de bison au pays de la Saskatchewan correspondait à sa régression dans le Missouri, qui avait été le territoire de chasse des gens de la Rivière Rouge. Pour une dizaine d'années au moins encore, la chasse autour du fort Pitt allait être bonne. Mais vers 1862, quand Milton et Cheadle traversèrent le pays de la Saskatchewan, les troupeaux étaient en voie d'extinction. Dans leur livre, *Le Passage du Nord-Ouest par terre,* ces aristocratiques voyageurs anglais consignèrent que, au Saskatchewan, le bison s'était retiré si loin des forts et que le corégone avait à ce point décru qu'il se passait maintenant rarement un hiver sans que les habitants n'eussent à souffrir sérieusement d'un manque de nourriture.

Durant des siècles, les méthodes de chasse indiennes avaient maintenu le nombre de bisons; l'utilisation des armes à feu dans les Prairies allait amener l'irréversible régression des troupeaux. Des hommes clairvoyants s'inquiétèrent de la survie des gens des Plaines une fois que seraient disparus les grands troupeaux. Des missionnaires, des voyageurs, des dirigeants métis et des chefs indiens comprirent la menace qui pesait sur les habitants et reconnurent l'importance que prendrait le sol, un jour: les bisons partis, il n'y aurait plus que le sol, et les aborigènes devaient s'assurer que le sol serait à eux. C'était une des raisons de l'arrivée de missionnaires catholiques, dans les années 1860, que d'encourager les Métis à s'établir autour de leurs églises. Mais même avant cela, des Métis avaient eux-mêmes pris la décision de convertir leurs villages d'abris montés à la hâte pour l'hiver en établissements plus permanents. Les premiers qui le firent dans la région de la Saskatchewan Sud, ce furent les chasseurs que dirigeait Gabriel Dumont. L'établissement prit le nom de La Petite Ville. Il était situé sur la rive ouest de la Saskatchewan, tout près de l'actuel Saskatoon. Sur la fin de l'été 1868, un prêtre breton trapu et dénommé père André fit son entrée à La Petite Ville. Il se mérita la confiance de Gabriel, et leur amitié devait avoir des conséquences importantes pour les Métis du Saskatchewan.

Dans l'intervalle, bien à l'est, les Métis des villages bordant la Rivière Rouge commencèrent à croire que des événements politiques lointains pourraient modifier leur existence. En 1867 la confédération canadienne était créée. En 1869 la Compagnie de la baie d'Hudson cédait, à la nouvelle puissance, le grand territoire connu sous le nom de Terre de Rupert et compris entre les monts Shield et les Rocheuses. Cette portion, la Compagnie en avait été le propriétaire depuis la charte de 1660 que lui avait octroyée le roi Charles II. Les villages de la Rivière Rouge étaient en plein coeur de la région cédée, mais ils n'avaient jamais été consultés sur la transaction. Avant même que le territoire ne changeât de mains, le gouvernement canadien avait illégalement envoyé des arpenteurs le piqueter. N'ayant point reçu de titres légaux pour leurs lots riverains, les Métis en furent perturbés. A cause de ces gestes posés dans l'arbitraire, ils stoppèrent, sous la conduite de Louis Riel, les arpenteurs et formèrent le *Comité national des Métis de la Rivière Rouge*. Le comité coupa la voie au lieutenant-gouverneur McDougall, qui tentait de traverser la frontière à Pembina, et créa un gouvernement provisoire ayant Riel à sa tête et une milice à cheval structurée comme pour une chasse au bison et commandée par Ambroise Lépine avec le titre de général.

La nouvelle des incidents de la Rivière Rouge excita les chasseurs des plaines situées à l'ouest. Certains s'opposèrent à Riel et considérèrent que la situation de la Rivière Rouge ne les touchait pas. D'autres cependant commencèrent à penser que les mêmes événements pourraient se reproduire à la rivière Saskatchewan. Gabriel Dumont se sentit si impliqué qu'il fit au moins un voyage au fort Garry pour y rencontrer Riel et lui offrir son aide. C'était en juin 1870, soit après l'entente intervenue entre le gouvernement canadien et le gouvernement provisoire de Riel de même qu'après la création de la province du Manitoba. Une expédition militaire britanno-canadienne placée sous les ordres du colonel Wolseley s'avançait à travers les monts Shield. L'hostilité de la troupe à l'égard de Riel et des autres

A quel degré le gouvernement canadien satisfit-il aux demandes des Métis dans l'acte qui créait le Manitoba?

chefs métis était évidente. Dumont conseilla à Riel de commencer la guérilla contre la troupe de Wolseley avec l'aide des Indiens du lac des Bois. Il offrit d'y venir avec cinq cents Indiens et Métis armés et montés. Riel refusa.

Gabriel s'en revint au Saskatchewan, ne voulant pas contrarier l'évêque Taché qui conseillait la patience. A son retour Dumont était très soucieux. Il passa presque tout l'été de 1870 à voyager entre la Rivière Rouge et les Rocheuses. Il chercha à resserrer ses liens avec les Indiens et à poser les assises d'une alliance entre aborigènes afin de mieux résister à la perte éventuelle de leur patrie et de leurs droits.

La résistance cependant, c'était loin d'être l'objectif du clergé occupé à remplacer son ministère itinérant par la fondation de paroisses dans lesquelles les chasseurs étaient pressés de construire des habitations permanentes et de cultiver le sol. En 1871 le père André fonda la paroisse de Saint-Laurent sur la rive ouest de la Saskatchewan Sud. En 1876 une paroisse était créée à Duck Lake. En 1881 celle de Saint-Antoine-de-Padoue était fondée, sur sa rive est, par le père Vegreville. C'est ici que, en 1871, un trafiquant métis du nom de Xavier Letendre avait ouvert un magasin et mit sur pied un ferry qui lui avait valu le surnom de Batoche et qui fut ensuite étendu à tout le village.

Les chasseurs métis, sous l'autorité de Gabriel Dumont, quittèrent La Petite Ville et les autres établissements plus petits et moins permanents de leur vie de nomades pour des lots riverains étroits et piquetés dans Saint-Laurent et Batoche. Gabriel s'était fixé au sud de Batoche, réalisant que l'endroit où le vieux bac de la Compagnie de la baie d'Hudson traversait la Saskatchewan ouvrait une voie au fort Carlton de trente kilomètres plus courte que par le ferry de Batoche à dix kilomètres plus bas sur la rivière. Il piqueta donc un morceau de prairie et de sol boisé jusqu'à la rivière, lança son propre ferry en 1872 et construisit l'an d'après une maison en bois ronds recouverte de torchis et blanchie à la chaux. Il y ajoutera plus tard un magasin et un billard pour y divertir ses amis et clients.

Gabriel Dumont n'en restera pas moins un chasseur jusqu'à la fin de ses jours. Aussi longtemps que les cavalcades annuelles quittèrent Saint-Laurent pour suivre les troupeaux de bisons de plus en plus réduits, il fut à leur tête. La dernière chasse qu'il conduisit fut celle de 1881, car, ensuite, il n'y eut plus assez de bison pour justifier une grande chasse.

La république de Saint-Laurent

En 1873 Gabriel fut impliqué dans les premières tentatives de création d'un gouvernement autonome dans les prairies de l'Ouest. Les modalités d'organisation des chasses au bison avaient survécu, plus ou moins inchangées depuis le temps des cavalcades de la Rivière Rouge. Mais il ne s'agissait alors que d'arrangements temporaires qui ne duraient qu'environ deux mois chaque été: il n'y avait eu aucune organisation permanente chez les groupes de Métis dispersés dans toute la région aux saisons d'automne et d'hiver. Des établissements se formant autour de Batoche et de Saint-Laurent, une population sédentaire de plus de mille âmes se retrouvait là, reserrée en grappes. Il semblait évident, au moins au père André, qu'une espèce de gouvernement local s'imposait. Même s'il était français, le clergé était sympathique au désir des Métis de conserver leur propre identité et voyait dans la création de communautés autonomes une façon de protéger les intérêts de leurs ouailles.

Gabriel Dumont saisit sur-le-champ le mérite de la proposition du père André et accepta de convoquer les Métis à en discuter et à se donner un gouvernement de local. Le 10 décembre 1873, la population des établissements de la Saskatchewan Sud se rendit massivement à une réunion tenue aux portes de l'église Saint-Laurent afin de créer le premier gouvernement jamais mis sur pied à l'ouest de la Rivière Rouge. Gabriel Dumont présida, le père André agit comme secrétaire et les Métis réunis se donnèrent une constitution pour leur "communauté" comme ils disaient. Ils niaient toute velléité d'indépendance. En effet, ils stipulèrent que, en faisant leurs lois, ils se considéraient comme les sujets loyaux et fidèles du Canada et qu'ils étaient disposés à abandonner leur propre organisation et à se soumettre aux lois du Canada aussitôt que le Canada nommerait des magistrats en règle qui auraient la vigueur nécessaire pour maintenir sur le territoire l'autorité des lois.

Pourquoi Dumont et les Métis se donnèrent-ils une constitution à Saint-Laurent?

La vieille organisation des chasses au bison fixait les assises de la communauté de Saint-Laurent. Gabriel Dumont fut élu président, et on lui désigna un conseil de

Gabriel Dumont

Qu'est-ce que les lois et le gouvernement de Saint-Laurent vous apprennent des valeurs des Métis?

huit membres. Puis l'assemblée arrêta les vingt-huit lois de base de la communauté. Celles-ci prévoyaient que les conseillers étaient assistés de capitaines et soldats qui agissaient comme représentants de la force policière de la communauté. Le conseil devait se réunir au moins une fois le mois. Il constituait le tribunal qui se prononçait sur les atteintes aux lois et réglait les différends. Il devait voir à l'administration des services publics. Il avait le pouvoir d'imposer des taxes et d'exiger des personnes de travailler à des projets communautaires importants.

L'énumération d'un certain nombre de crimes spécifiés a de l'intérêt si on cherche à comprendre ce groupement de chasseurs et trafiquants. Des sanctions étaient prévues contre les voleurs de chevaux, contre ceux qui déshonoraient les filles et refusaient ensuite de les marier, contre les allumeurs de feux dans les prairies par temps de sécheresse, contre ceux qui ne voyaient pas à contenir leurs chevaux (ce qui en faisait des nuisances) ou leurs chiens (qui tuaient les poulains) et contre ceux qui pratiquaient la diffamation à l'endroit de membres de la communauté. Tous ces crimes étaient punis par des amendes à verser. On ne fait aucune mention de châtiments corporels ou de peines d'emprisonnement: ça n'était pas dans la conception que se faisaient les Métis d'une société juste. De même, plusieurs crimes bien connus dans notre société n'étaient pas relevés dans le code pénal de Saint-Laurent. On ne fait aucune mention du vol, autre que le vol de chevaux: ce crime était peut-être très rare chez les Métis. Rien de prévu, non plus, pour les crimes violents: les assauts, les tortures et les meurtres. L'assemblée jugea peut-être sage de s'en remettre, sur ces sujets, aux moeurs qui avaient cours, croyant bien que les lois suffiraient à restreindre le nombre de prétextes à commettre des actes violents.

On n'a aucun registre des assemblées du conseil que présidait Dumont; étant donné qu'aucune preuve de plaintes n'existe, nous pouvons présumer qu'il sut agir avec toute l'impartialité qui lui était reconnue. Il fut à ce point satisfait de l'expérience qu'il fit envoyer des messages à d'autres communautés de Métis établis autour de Qu'Appelle et d'Edmonton les invitant à emboîter le pas. Il proposa à John McKay, un sang-mêlé anglophone, leader à Prince Albert, de collaborer avec lui à la création d'un gouvernement autonome dans le Nord-Ouest. Dumont laisse à penser qu'il envisagea une fédération de communautés susceptible de faire contrepoids aux autorités canadiennes le jour où elles viendraient s'établir dans les Prairies avec un réseau de gouvernements locaux efficaces. Malheureusement, rien ne germa de ses démarches et la communauté de Saint-Laurent ne fut qu'un phénomène politique isolé.

Gabriel Dumont et son conseil eurent le souci de faire participer leur monde à leur propre gouvernement. Quand une question difficile, comme celle des droits de propriété, se présentait, Gabriel décrétait qu'elle n'était point du ressort du conseil et convoquait l'assemblée générale. L'assemblée se tint en février 1874 et adapta aux circonstances particulières des chasseurs de la Saskatchewan Sud l'usage établi, dans les droits de propriété, chez les Québécois de la vallée du Saint-Laurent. Chaque chef de famille aurait une bande de terre de quatre cents mètres de largeur sur la rivière et de trois kilomètres de longueur dans la prairie. Pour chaque enfant mâle de plus de vingt ans, un morceau de terre de mêmes dimensions pouvait être réclamé. Les secteurs impropres à la culture et à l'élevage étaient considérés biens communs, et toute la communauté pouvait y couper du bois. Les propriétaires de Saint-Laurent, qui savaient l'importance de la conservation, dénoncèrent l'abattage inutile des arbres et décrétèrent que personne ne pouvait abattre plus d'arbres qu'il n'était possible d'en utiliser en deux semaines. Et, pour résoudre toute dispute sur le bornage des terres, le conseil nommerait une commission itinérante de trois membres chargée de régler tout conflit.

Le 10 décembre 1874, un an juste après l'adoption de leur constitution, les Métis de Saint-Laurent se réunissaient encore en assemblée générale, et le président et son conseil remettaient leurs démissions. Mais après avoir montré beaucoup de répugnance,

Gabriel Dumont accepta de nouveau la présidence avec un conseil légèrement remanié. Cette fois l'assemblée ne vota aucune nouvelle mesure, mais elle ratifia tous les décrets de l'ancien conseil.

Puis Dumont et les autres dirigeants métis abordèrent l'autre problème qui leur apparaissait de plus en plus aussi sérieux que celui des droits de propriété: l'avenir de la chasse au bison. Même les plus optimistes ne pouvaient plus maintenant rester insensibles au gaspillage passé des abattages de troupeaux. Et voilà que de nouveaux ennemis s'en prenaient au bison, sportifs tuant pour les trophées et chasseurs de profession, pour les robes. Les chasseurs de Saint-Laurent avaient connu une année 1874 particulièrement difficile, et même si la plupart accusaient la sécheresse d'avoir brûlé les pâturages, Dumont et les plus sages savaient bien déjà que les troupeaux eux-mêmes s'éteignaient.

Les nouveaux règlements de chasse que Dumont et son conseil votèrent le 27 janvier 1875 étaient un compromis destiné à satisfaire tout autant ceux qui croyaient qu'il y aurait toujours du bison et ceux qui savaient que les grandes chasses étaient chose du passé. Les nouveaux règlements resserraient les anciennes lois: celle qui interdisait de chasser le bison avant le signal du chef, celles qui concernaient le cercle de charrettes défensif, le service des factionnaires de nuit et le soin à apporter à faire des feux. Mais il y avait aussi, pour la première fois, des règlements contre le gaspillage de bison, et des amendes étaient prévues contre ceux qui ne faisaient pas un plein emploi du bison qu'ils avaient tué. C'étaient des mesures de conservation bien tardives et bien insuffisantes pour corriger l'extinction du bison. Elles montrent bien cependant que les joyeuses tueries, qui ne gardaient que les meilleurs morceaux pour laisser le reste aux loups affamés, avaient fait place à de poignantes inquiétudes quant à l'avenir. De ces vingt-cinq règlements du 27 janvier 1875, le vingt-troisième est, pour l'histoire, le plus important. Il déclarait que tout groupe de Métis se trouvant dans le voisinage de la grande caravane, même s'il s'en disait indépendant, était soumis, dans sa chasse, aux décisions du conseil du grand campement et que, s'il ne les acceptait pas de bon gré, il y serait tenu par la force.

Pour autant que nous puissions le savoir, ces règlements de 1875 furent les dernières décisions publiques du président et du conseil de Saint-Laurent, car, l'été suivant, une application draconienne du règlement vingt-trois mit une fin abrupte aux activités du conseil et, pour la première fois, plaça Gabriel Dumont en conflit avec les autorités canadiennes. Les journaux de Winnipeg et Toronto relevèrent l'incident avec un certain sensationnalisme, allant jusqu'à y voir, bien prématurément, un nouveau soulèvement.

Les faits sont très simples. A la mi-juin, les Métis étant rassemblés à Saint-Laurent pour la chasse annuelle, on rapporta qu'un groupe de soi-disant francs-chasseurs (En fait, ils chassaient pour le compte de la Compagnie de la baie d'Hudson.) s'était mis en route dix jours plus tôt. Le groupe comprenait des sang-mêlé anglophones, des Métis et des Indiens. Quand on lui eut raconté cette infraction à la coutume établie, Gabriel Dumont fit écrire une lettre en son nom et la fit porter par un messager. Elle demandait aux chasseurs en faute de se joindre au grand campement et les menaçait, à défaut de se conformer, d'être mis à l'amende pour tout dommage qu'ils auraient causé.

Peter Ballendine, un ex-employé de la compagnie et chef de l'expédition indépendante, commanda à ses hommes de ne tenir aucun compte de l'ordre de Dumont, même si certains d'entre eux étaient des Métis de Saint-Laurent qui avaient accepté les règlements de leur conseil. Dumont se lança à leur poursuite avec quarante chasseurs. Le groupe de Ballendine refusant de le suivre, il leva des amendes contre les Métis de ce groupe et se saisit de biens correspondant à la valeur des amendes. Il semble que les sang-mêlé anglophones et les Indiens ne furent pas punis. Ballendine porta plainte à Lawrence Clarke, agent de la Compagnie de la baie d'Hudson au fort Carlton et qui avait été récemment nommé juge de paix, mais sans aucune force policière pour consolider son autorité.

Clarke prit ombrage de son impuissance et fut jaloux de l'autorité qu'exerçait Gabriel Dumont sur les villages de la Saskatchewan Sud. Il crut que l'incident impliquant Dumont et Ballendine fournissait prétexte à faire appel à des forces extérieures. Il écrivit au lieutenant-gouverneur des Territoires du Nord-Ouest, Alexander Morris, un rapport qui amplifiait l'incident:

"... Un tribunal a été constitué, comptant quatorze personnes présidées par un homme nommé Gabriel Dumont, qui a le titre de président et devant qui tous les délinquants doivent paraître ou souffrir violence dans leur personne ou leur propriété...

Ce tribunal prétend en outre avoir le pouvoir d'imposer ses lois à tous les Indiens, colons et chasseurs qui fréquentent les Prairies dans la partie sud de la Saskatchewan. Ce tribunal a soutiré, par la violence et le vol, de grosses sommes d'argent à d'inoffensives personnes qui hantent cette région où vit le bison afin de pourvoir à leur subsistance."

Clarke reçut les encouragements de James Grahame,

commissaire en chef de la Compagnie de la baie d'Hudson, qui se trouvait au fort Carlton et qui remit le document en main propre au lieutenant-gouverneur Morris. Morris, qui connaissait le caractère frivole de Clarke, consulta James McKay, un sang-mêlé écossais qui était membre du conseil des Territoires et qui répondit que Dumont et ses partisans n'avaient, de toute évidence, rien fait de plus que d'imposer le respect des lois traditionnelles de la chasse. Mais en dépit de l'avis de McKay, Morris ne pouvait pas ne pas tenir compte du précédent soulèvement de la Rivière Rouge. Dès lors il jugea la situation de la Saskatchewan Sud de potentiellement explosive et fit parvenir un message urgent au major général Selby-Smythe, commandant de la milice canadienne, en voyage dans les Prairies afin d'asseoir l'efficacité de la nouvelle police montée du Nord-Ouest. Selby-Smythe et le commissaire French, du même corps de police, décidèrent de quitter Swan River et de se rendre au fort Carlton avec un détachement de cinquante hommes. Ce fut la première police qui mettait les pieds au Saskatchewan à titre de "groupe de surveillance" capable, s'il y avait lieu, de mettre un terme au développement de complications gênantes avec les sang-mêlé.

Le major général E. Selby-Smythe

Selby-Smythe et son détachement mirent huit jours à couvrir les quatre cent trente-cinq kilomètres qui les séparaient du fort Carlton. Sans intention aucune de faire le jeu de Clarke, ils menèrent leur enquête de sang-froid, interviewant Dumont en secret au ferry Gabriel avant de se rendre au fort Carlton pour y rencontrer Clarke et ses témoins réunis. Le commissaire French télégraphia au ministre de la Justice Edward Blake que les excès commis par les sang-mêlé de ce secteur étaient sans importance et, peu après, il laissait voir qu'il désapprouvait la conduite de Clarke en faisant remarquer que son honneur et le gouvernement canadien avaient été inutilement inquiétés sur la foi de rapports alarmants.

Selby-Smythe et French repartirent, laissant l'inspecteur Leif Crozier et une douzaine d'hommes avec instruction d'arrêter Dumont quand il reviendrait de chasse. Mais Crozier se contenta de discuter de la situation avec le chef métis et conclut que Dumont n'avait rien fait de contraire aux coutumes des Prairies. Par après, le comte de Carnavon, secrétaire aux Colonies britanniques, décréta qu'il était difficile de se formaliser des gestes d'une communauté qui semblait avoir honnêtement tenté de maintenir l'ordre avec les meilleurs moyens dont elle disposait.

Ciel d'orage sur le Saskatchewan

La confrontation de 1875 était le signal de profonds changements en voie de réalisation au Saskatchewan. En 1875 le quartier général régional de la Police Montée fut installé à Telegraph Flats, qui prendra le nom de Battleford, sur la Saskatchewan Nord, un peu plus haut que le fort Carlton. La même année les premières équipes d'arpenteurs du CPR arrivaient sur les lieux. En 1876 le lieutenant-gouverneur Morris était au fort Carlton en vue de la conclusion du Traité Numéro Six avec les chefs des Cris, des Chipewyans et des Assiniboines. Ce jour-là même où les Indiens cédaient leurs droits aux terres des Prairies, les Dumont servaient d'interprètes et assistaient au traité dont les provisions allaient contenir le ferment des discordes à venir entre le gouvernement canadien et les peuples des Prairies.

Signature du traité de 1876 au fort Carlton

Quel a été l'aboutissement de ces traités pour les Cris et les Pieds-Noirs contemporains? De quelles façons des pays, dans d'autres parties du monde, ont-ils transigé avec leurs populations aborigènes?

En fait, le Traité Numéro Six de même que le traité signé l'année suivante avec la confédération des Pieds-Noirs rappela aux Métis que, si les Indiens étaient au moins assurés d'avoir leurs réserves, aucune concession de sol ne leur avait été consentie, à eux, les Métis. Et pourtant, dès 1873, les Métis de Qu'Appelle avaient signé une pétition pour obtenir des concessions de sol en guise de compensation pour leurs droits aux terres de la région. Mais le gouvernement canadien était resté muet. En 1874 les sang-mêlé anglophones de Prince Albert faisaient parvenir des requêtes similaires. Dans son rapport de 1876, le lieutenant-gouverneur Morris attirait l'attention du gouvernement libéral d'Alexander Mackenzie sur deux questions brûlantes dans le Nord-Ouest: la conservation du bison et la concession de terres aux Métis non établis qui, à ses yeux, avaient une influence pondératrice sur la population indienne.

On apporta une certaine attention à la conservation du bison. En 1877 le conseil des Territoires du Nord-Ouest émit une ordonnance qui, si elle avait été appuyée, aurait pu protéger les grands troupeaux pour encore quelques années: les grandes tueries étaient interdites; les petits et les femelles ne pouvaient être tués qu'entre août et novembre. Mais l'ordonnace, ce sont ceux à qui elle devait profiter qui lui enlevèrent sa force. Les Indiens s'opposèrent à toute réglementation, prétextant que le bison était un don du Manitou, qui ne regardait pas les Blancs. Dumont et les siens, même s'ils avaient établi leurs propres mesures de conservation, s'opposèrent aussi à l'ordonnance parce qu'elle favorisait les Indiens au détriment des Métis qui avaient les mêmes droits à titre de natifs des Prairies. L'opposition à l'ordonnance fut si vive que le conseil l'abrogea en 1878, abandonnant la survie du bison à son sort.

L'extinction du bison, presque totale alors, rendait plus aigu encore le problème des terres en Saskatchewan, surtout depuis que les chasseurs, qui avaient pu jusque-là aller et venir librement en territoire américain, étaient refoulés de ce côté-ci de la frontière par la cavalerie américaine. Plusieurs d'entre eux s'installèrent au nord de Batoche et de Saint-Laurent où ils constituèrent un ferment de discorde dans la population métisse.

En plus de ces chasseurs sans troupeaux, les établissements du Saskatchewan virent également affluer de la Rivière Rouge des Métis plus désabusés encore pour d'autres raisons. Il y avait parmi eux des fermiers qui avaient échoué contre des colons canadiens plus combatifs ou qui avaient été dépossédés des terres qui leur avaient été concédées à la création du Manitoba. Il y en avait d'autres qui, en toute logique, avaient essayé, mais en vain, de collaborer avec les nouveaux maîtres canadiens. C'était le cas de l'ex-fonctionnaire Louis Schmidt et de Charles Nolin, premier titulaire du portefeuille de l'agriculture dans le gouvernement manitobain. Ils y avaient perdu toutes leurs illusions et redoutaient que le Saskatchewan ne connût, à son tour, les mêmes perfidies. Atteints dans leurs convictions politiques, ils allaient donner plus de mordant au mouvement métis.

Dès 1877 le leadership de Gabriel Dumont refit surface quand les Métis commencèrent à présenter leurs griefs aux autorités canadiennes. Ils demandèrent d'abord de l'aide afin de construire une école, qui leur fut par la suite accordée en 1880. Puis, en 1978, à l'occasion d'une assemblée populaire tenue encore une fois à l'extérieur de l'église de Saint-Laurent, ils formulèrent une requête à l'effet d'obtenir une représentation au Conseil des Territoires (qui, à cette époque, n'avait aucun représentant aborigène), une assistance agricole (semences et instruments) similaire à celle qui avait été promise aux Indiens dans les traités et, de toute urgence, la reconnaissance juridique de leurs terres: "Le Gouvernement devrait faire arpenter, dans les plus brefs délais, les terres occupées et cultivées par les sang-mêlé ou les vieux résidants de la région et leur en remettre les titres par la suite".

Ce ne fut là qu'une des nombreuses requêtes venues des Métis de toutes les parties de l'Ouest. Un Métis fut nommé au Conseil des Territoires. Quant à la question de la propriété des terres, elle fut mise au rancart par le gouvernement libéral d'abord, puis par les conservateurs qui reprirent le pouvoir en 1878. Le premier ministre John Macdonald était également ministre de l'Intérieur et donc premier responsable du règlement des réclamations relatives aux droits terriens des Métis et des sang-mêlé anglophones. Plutôt de régler le problème sans délai, problème trés similaire à celui qui avait provoqué, en 1869, le soulèvement de la Rivière Rouge, Macdonald choisit de temporiser. Il reçut plus d'une mise en garde. Alexander Morris, en remettant sa démission au poste de lieutenant-gouverneur des Territoires, soulignait ceci: "C'est une honte criante que les sang-mêlé aient été ignorés. Il s'ensuivra des troubles, et c'est très injuste". Le colonel J.-S. Dennis, sous-ministre de l'Intérieur et qui avait combattu Riel à la Rivière Rouge, pressait le premier ministre d'intervenir immédiatement. L'arche-

Charles Nolin, cousin de Louis Riel

vêque Taché parla à Macdonald: "Bien disposés, les Métis contribueront largement au maintien de la paix; mécontents, ils pourraient (...) rendre impossible la colonisation ultérieure de la région."

Le refus d'agir de Macdonald ne s'explique pas: aucune loi nouvelle n'était requise. La clause 31 de la Loi des terres au Canada, passée en 1878, lui donnait la compétence, sur ordre en conseil, de concéder des terres aux sang-mêlé des Territoires du Nord-Ouest résidant à l'extérieur du Manitoba.

Mais, pendant qu'il retardait le règlement des griefs des Métis, Ottawa envoyait déjà des arpenteurs dans les Prairies partager le sol à l'américaine, c'est-à-dire en lots d'un mille carré. Selon les provisions de la loi des terres de 1878, les fermiers, eu égard à certaines conditions, devaient recevoir des quarts de lots; la loi, cependant, n'accordait aucune protection aux premiers occupants qu'elle considérait comme de simples colons. Le gouvernement, d'autre part, ne fit rien pour apaiser les craintes de ces gens qui voyaient les arpenteurs au travail.

Et même les Métis qui, comme Gabriel Dumont, avaient la chance d'avoir leurs terres reconnues comme fermes, ils étaient placés devant le fait que les arpenteurs ne savaient rien de leur préférence pour les lots riverains longs et étroits. Mais le sujet de la plus vive inquiétude de tous les Métis était bien que, tout le temps qu'Ottawa mettrait à rendre une décision, ils n'étaient, légalement, que des colons. Alors que des étrangers venaient s'établir rapidement dans la région, les Métis, eux, n'avaient aucun titre à leurs terres. Ceux-là n'étaient pas seulement des sang-mêlé anglophones ou des colons canadiens ou britanniques également aussi inquiets que les Métis quant aux délais apportés à l'obtention des titres de propriété. C'était aussi des spéculateurs qui tentaient de s'assurer de grandes étendues aux dépens des occupants.

Les efforts des Métis pour tenter d'attirer l'attention sur leur état furent, la plupart du temps, encouragés par le clergé et les gouvernements locaux puis, plus tard, par les sang-mêlé anglophones et même les colons blancs. Ce fut cependant des Métis de Saint-Laurent que vinrent les premières initiatives, et l'âme de cette communauté, c'était encore Gabriel Dumont.

En 1880 Gabriel était à la tête du mouvement qui força le Conseil des Territoires à retirer l'obligation nouvelle de verser des droits de coupe de bois sur les terres de la couronne qui étaient en fait la partie des terres commune à tous les Métis. En juin 1881, il était à l'origine des requêtes qui demandaient au Conseil des Territoires d'apporter une attention immédiate aux demandes des Métis relatives aux titres de propriété. L'été suivant, alors que rien encore n'avait été fait, on retrouvait Gabriel Dumont à la tête des signataires d'une autre pétition présentée par Charles Nolin et dans laquelle les Métis s'élevaient contre les règlements qui les obligeaient à des déboursés pour des terres sur lesquelles ils étaient déjà établis mais dont l'une ou l'autre partie avait été déclarée impropre à la colonisation. Après avoir demandé d'être exemptés des règlements touchant à la colonisation et après avoir exigé un arpentage qui respectât leur façon traditionnelle de découper les terres, les Métis terminaient ainsi, dans la fierté, leur pétition:

"Ayant depuis fort longtemps été reconnus comme les maîtres de ce pays et l'ayant défendu contre les Indiens au prix de notre sang, nous considérons ne pas trop exiger quand nous prions le gouvernement de nous permettre d'occuper paisiblement nos terres et de nous exempter des règlements en accordant sans frais des droits de propriété aux Métis du Nord-Ouest."

Cette requête aussi, appuyée par le clergé établi chez les Métis, resta sans réponse. Les autorités insistèrent pour que l'arpentage se poursuivît selon le système déjà prévu et qu'il n'y eût aucune exception. Finalement, sur la fin de 1882, Macdonald admit l'existence du problème et recommanda que fût envoyé dans l'Ouest un délégué chargé d'enquêter sur les plaintes touchant les terres. Mais ce ne fut qu'en 1884 que fut envoyé le premier représentant d'Ottawa, un inspecteur des terres du Canada nommé William Pearce. Pearce ne parlant pas le français ne s'occupa que des plaintes de ceux qui pouvaient s'adresser à lui en anglais. Il confia les plaintes des Métis à l'agent bilingue des terres canadiennes de Prince-Albert qui s'amena à Saint-Laurent en mai 1884. Mais ce dernier, à son tour, attendit jusqu'en octobre pour faire parvenir son rapport à Ottawa, rapport qui fut égaré puis retrouvé en février 1885. Il était trop tard. La patience des Métis était à bout. Ils avaient ramené Louis Riel au Canada pour les conseiller, les inspirer et se penchaient déjà sur leur propre plan d'action.

Chapitre 8

L'arrivée de Louis Riel

Au début de l'été 1884, quand les délégués métis se rendirent l'inviter à venir au Saskatchewan, Louis Riel dirigeait une école pour enfants métis à la mission Saint-Pierre, sur la rivière Sun, au Montana. Cette idée d'avoir recours à ses conseils et peut-être à son aide avait été l'objet de discussions depuis des mois chez les Métis les plus mécontents. Finalement, elle avait fait l'objet d'une proposition à la réunion du 22 mars 1884, dans la maison d'Abraham Montour, à Saint-Laurent. Quelques dirigeants métis tels Gabriel Dumont, Charles Nolin et le vieux marchand Batoche de même que de jeunes militants comme Napoléon Nault et Damase Carrière y étaient. Ils y étaient venus pour discuter d'une proposition de W.-H. Jackson, secrétaire canadien de l'Union des colons, invitant à une action commune pressante les Métis, les sang-mêlé anglophones et les colons blancs.

Ces hommes examinèrent l'idée d'une collaboration avec d'autres groupes de mécontents et discutèrent des nouvelles façons de sensibiliser le gouvernement canadien aux réalités de la situation des Métis. Il semble bien que c'est ici qu'on envisagea, pour la première fois, une rébellion armée. Cela ne venait pas de Gabriel Dumont qui était encore en faveur de l'emploi des moyens pacifiques, mais des hommes plus jeunes et plus impatients. Napoléon Nault suggéra de demander l'avis de Riel. L'idée plut sur-le-champ à l'assemblée: même si Riel vivait en exil, ils voyaient en lui l'homme qui, quinze ans plus tôt, avait forcé le gouvernement canadien à en venir à une entente avec les Métis. Dumont donna son accord et proposa la convocation de l'assemblée générale des Métis du Saskatchewan.

Le 28 avril plusieurs centaines d'hommes se rassemblèrent, dans la neige fondante, devant la maison de billes de bois du vieil Isidore Dumont. Après plusieurs heures, l'assemblée vota plusieurs résolutions qui reprenaient les demandes touchant les titres de propriété, exigeaient un Conseil des Territoires plus représentatif et blâmaient le gouvernement d'avoir négligé les Indiens, menacés de famine par suite de l'extinction des troupeaux de bisons. Les participants élirent également un comité de six membres, dont Gabriel Dumont, chargé de préparer une charte des droits à soumettre à une assemblée conjointe de tous les groupes de mécontents.

Cette assemblée de Métis, de sang-mêlé anglophones et de colons canadiens et britanniques se tint le 6 mai, à l'école de Lindsay, entre Batoche et Prince-Albert. On fut unanime sur la nécessité de mettre fin aux délais répétés du gouvernement canadien. On le fut moins sur le choix de Louis Riel. Toutefois l'éloquence d'Andrew Spence, porte-parole des sang-mêlé anglophones, gagna les colons blancs qui tombèrent tous d'accord sur une résolution de première importance:

"Nous, les natifs français et anglais du Nord-Ouest, sachant que Louis Riel fit un marché en 1870 avec le gouvernement du Canada, lequel marché est en majeure partie contenu dans ce qui est connu comme l'Acte du Manitoba, avons pensé qu'il était judicieux qu'une délégation soit dépêchée auprès de ce Louis Riel afin d'obtenir son aide pour présenter au gouvernement du Canada, dans les formes appropriées, toutes les questions reliées aux règlements cités de manière que nos justes demandes soient agréées."

Qu'était-il advenu de Riel depuis la rébellion de 1870?

Les trois délégués choisis pour ce voyage d'onze cents kilomètres les séparant du lieu de résidence de Riel étaient tous des sang-mêlé. Gabriel Dumont et Michel Dumas représentaient les francophones et James Isbister, les anglophones. Moïse Ouellette, beau-frère de Gabriel et membre du conseil des Métis de 1873 de

Carte montrant le Montana et le Saskatchewan

Saint-Laurent les accompagnait sans mandat d'office. Même s'ils avaient quitté sans bruit, le 19 mai, leur départ fut signalé au juge de paix Lawrence Clarke qui télégraphia sur-le-champ au lieutenant-gouverneur Dewdney, lui suggérant de faire filer les délégués par la Police Montée. Il recommanda instamment l'arrestation de Riel s'il traversait la frontière. Il ne fut pas tenu compte de son message. Dumont et ses compagnons filèrent à cheval, direction sud, sans voir un seul policier. Avec l'aide des amis que Gabriel comptait chez les Pieds Noirs, ils firent environ soixante kilomètres par jour sur un sol rude et souvent sans piste. Ce ne fut qu'au sud de la frontière qu'ils connurent des difficultés. Les Gros Ventres ne faisaient pas partie des groupes indiens avec qui Gabriel Dumont avait formé une alliance. Aussi exigèrent-ils tribut. Avec son tact habituel, Gabriel leur fournit des explications, et la petite caravane reprit le voyage jusqu'au fort Benton puis le long du Missouri jusqu'à la rivière Sun et la mission Saint-Pierre.

Ils arrivèrent à la mission le matin du 4 juin, à huit heures. Riel était à l'église. Ils l'envoyèrent chercher. À sa sortie, il serra la main de Gabriel Dumont, la retenant longtemps dans la sienne. "Vous me paraissez être un homme venu de loin, dit-il à Gabriel. Je ne vous connais pas, mais vous semblez me connaître." "En effet, répondit Gabriel, et je suis sûr que vous me connaissez aussi bien. Le nom de Gabriel Dumont ne vous dit-il pas quelque chose?" "Certainement, reprit Riel. Je suis heureux de vous revoir. Mais excusez-moi, je dois retourner finir d'entendre la messe."

Peu après, mis au courant de la mission des visiteurs, Riel parut surpris, et sa réponse extraordinaire, venue d'un esprit habité par les augures et les symboles, Gabriel ne l'oublia jamais: "Dieu veut vous faire comprendre que vous avez choisi le bon moyen puisque vous êtes quatre et que vous arrivez un quatre juin. Vous désirez qu'une cinquième personne reparte avec vous. Je ne puis donner ma réponse aujourd'hui. Attendez jusqu'à demain matin et je vous ferai part de ma décision."

Le lendemain matin, Dumont et Dumas accompagnaient Riel à l'église de la mission pour s'y confesser et communier. Ils vinrent ensuite retrouver Isbister et Ouellette dans la maison de Riel. Dumont voulut s'informer de sa décision: "J'ai donné mon coeur à ma nation il y a quinze ans, répondit Riel, et je suis prêt à lui redonner. Mais je ne peux quitter ma jeune famille. Si vous pouvez nous amener tous, je vous suivrai." "Aucun problème, reprit Gabriel. Avec nos trois voitures, nous avons de la place pour vous tous." Riel demanda quelques jours pour quitter son poste d'enseignant, ce à quoi les délégués consentirent. Le 9 juin Riel faisait sa dernière classe et, le lendemain matin, Gabriel menait la petite caravane le long de la rivière Sun.

Le voyage de retour à Batoche fut calme. Aucun policier n'était à la frontière. Et ce n'est qu'en juillet que Dumont et ses compagnons atteignirent les pâturages de la Saskatchewan Sud. A vingt-cinq kilomètres de Batoche, à la coulée Tourond que les Anglais appelaient Fish Creek, une soixantaine de cavaliers métis vinrent à leur rencontre, criant la bienvenue à Riel et tirant des saluts de leurs mousquets ou de leurs Winchesters tout en chantant les chansons fières et dures de Pierre Falcon. Ils escortèrent les voyageurs jusqu'à la ferme Tourond où cinquante pleines charrettes de vieilles gens, de femmes et d'enfants étaient rassemblées autour de bâtiments peints à la chaux. Riel versa des larmes quand il vit de si nombreux camarades de l'époque de la Rivière Rouge forcés de quitter leurs maisons du Manitoba pour les lointaines prairies. Puis il y eut un moment de tension quand il se retrouva face à face avec son cousin Charles Nolin qui l'avait combattu au fort Garry, en 1869. Gabriel Dumont assura Riel du dévouement de Nolin à la cause des Métis, et les vieux rivaux parurent réconciliés. Après une première nuit passée dans la maison de Gabriel, près du ferry, les Riel aménagèrent dans la grande maison que Nolin avait construite pour lui à Batoche. Il y eut un rassemblement à l'extérieur de l'église de Batoche, trop petite pour contenir tous ceux qui étaient venus accueillir le légendaire Louis Riel. Des Indiens et des sang-mêlé anglophones s'étaient joints aux Métis. Riel leur dit que, tout comme la colonie de la Rivière Rouge, le Nord-Ouest deviendrait partie du Canada seulement si son peuple y consentait à la suite d'une entente intervenue entre les Métis et les Canadiens négociant comme deux nations égales.

Gabriel Dumont qui n'avait jamais cherché sa propre gloire fut content, dans les quatre mois qui suivirent l'arrivée de Riel, de jouer un rôle secondaire quoique très actif dans la conduite des affaires des Métis. Il fit rapport sur la délégation du Montana à une assemblée tenue à Batoche, le 8 juillet 1884. Les délégués de tous les groupes de mécontents venus d'aussi loin que Prince-Albert et Fort Carlton assistèrent à la réunion. Trois jours plus tard, Dumont accompagnait Riel à une assemblée de non Métis, tenue encore à l'école Lindsay,

LOUIS RIEL. THE REBEL.

C'est Louis Riel tel que dessiné par des Canadiens de l'Est. On peut lire: Louis Riel, le rebelle.

Comparez le soulèvement des Canadiens français sous Papineau, en 1837 et la Révolte du Nord-Ouest, en 1885.

où l'éloquente modération de Riel se gagna les colons blancs et rassura le clergé inquiet.

Toutefois, le temps et les événements se moquaient de Dumont et des activistes. Les récoltes furent maigres cette année-là, à Saint-Laurent. Ottawa ne manifestait rien qui pût laisser croire à un règlement des doléances des Métis. Les sang-mêlé et les colons canadiens s'impliquèrent dans une suite d'assemblées en apparence interminables et consacrées à préparer une pétition commune auprès du gouvernement fédéral. Croyant encore en une alliance de tous les natifs sang-mêlé aussi bien qu'indiens, Dumont persuada Riel de rencontrer les chefs indiens mécontents.

Dumont apparut encore comme un homme fort quand Mgr Grandin et le secrétaire du lieutenant-gouverneur, Amédée Forget, visitèrent Saint-Laurent, en septembre. Riel et ses partenaires s'inquiétaient de la froideur distante du clergé catholique quand on le comparait à l'appui que les prêtres de la Rivière Rouge avaient donné à Riel en 1869-1870. Dans une tentative de compromettre davantage l'Église, les Métis présentèrent une adresse écrite à l'évêque qui allait bénir la nouvelle cloche de l'église de Batoche. Mgr Grandin accepta d'assister à une assemblée, le 5 septembre, dans l'église de Saint-Laurent. L'accompagnaient Amédée Forget et les pères André, Fourmond et Vegreville.

Sortant de son silence récent, Dumont ouvrit l'assemblée. Il parla en termes simples et avec une émotion profonde, expliquant comment l'absence

La région de Batoche, en 1885

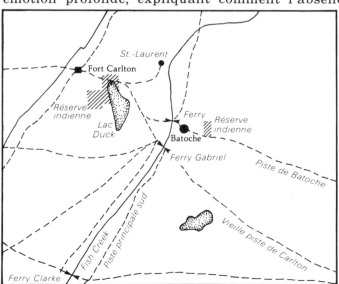

délibérée des prêtres aux assemblées des Métis causait un malaise dans la communauté. Il pria Mgr Grandin d'expliquer l'attitude de l'Eglise. Il était évident que Gabriel était en proie à une crise intérieure où la nécessité d'une action décisive venait en conflit avec son désir de ne pas rompre avec le clergé. Mgr Grandin dira plus tard, à Gabriel, dans un entretien encore plus déroutant: "Je crains que nos pauvres Métis ne soient en train de commettre des erreurs et que le blâme en retombera sur nous."

Forget passa la nuit suivante chez Joseph Vandal, près du ferry Gabriel, et Dumont alla lui porter une version écrite des demandes faites à Saint-Laurent, le jour précédent. Il lui décrivit les sentiments de frustration qui avaient conduit son peuple à réclamer Riel. Il lui définit avec soin le rôle de Riel: "Nous avons besoin de lui ici comme chef politique. Quant au reste, je suis le chef ici." Il mit l'accent sur les intérêts communs des Indiens et des Métis, sur les liens qui les unissaient et il appuya sur le fait que les Métis s'opposeraient à toute tentative des autorités d'arrêter Riel.

Le principal résultat de la rencontre de Mgr Grandin et des chefs métis fut la création, sous le patronage de l'évêque, d'une confrérie, l'Union métisse de Saint-Joseph, le 24 septembre, à Saint-Laurent. Le clergé espérait que l'Union servirait de canal par lequel l'influence de l'Eglise viendrait régler les problèmes des Métis. Riel donna de l'Union une interprétation plus politique et, tandis qu'il proclamait sa loyauté au pape et à la reine Victoria, il déclarait que le nouvel organisme était la reconnaissance même de la nationalité métisse.

Dans l'intervalle, Sir John Macdonald avait choisi cette période de tension dans les Prairies pour télégraphier ceci d'Ottawa au lieutenant-gouverneur Dewdney: J'ose croire (...) qu'il n'y aura aucun trouble d'ici à ce que l'hiver ne s'installe et ferme les routes (sic), ajoutant, cyniquement, qu'aucune concession n'arrêterait les gens de grommeler et de s'exciter.

C'est dans ce climat peu encourageant que, le 16 décembre, la pétition des groupes lésés du Saskatchewan fut envoyée à Ottawa, à J.-A. Chapleau, secrétaire d'Etat, sous le couvert d'une lettre signée par W.-H. Jackson, leader des colons canadiens et par A. Spence, secrétaire sang-mêlé anglophone du comité conjoint. La pétition, qu'il faut considérer comme le document de base de la Révolte du Nord-Ouest qui suivra, réclamait un gouvernement régional responsable élu, chargé de représenter la population à Ottawa, de modifier les lois sur la propriété rurale et la concession de titres de propriété aux Métis, d'obtenir un meilleur traitement pour les Indiens et, pour répondre au désir des colons blancs, d'obtenir un chemin de fer, avec tarifs réduits, jusqu'à la baie d'Hudson. Chapleau accusa réception, et copie de la pétition fut envoyée au bureau des colonies à Londres.

Dans le Nord-Ouest, tous attendaient les suites, ballottés entre l'optimisme et le pessimisme au gré des interprétations des gestes des autorités. Finalement, le 2 février 1885, D.-H. MacDowall, membre du Conseil des Territoires, télégraphia à Ottawa que les Métis manifestaient "beaucoup de mécontentement" de n'avoir aucune réponse à leurs représentations. Le 4 février Macdonald télégraphia à Dewdney que le cabinet avait décidé d'"étudier les réclamations des sang-mêlé". Dewdney ne transmit le contenu du télégramme ni à Riel ni à Dumont que les Métis considéraient comme leurs chefs locaux, mais à Nolin qui n'occupait aucun poste important chez les Métis du Saskatchewan.

Ce télégramme soulignant l'absence de tout engagement spécifique de la part du gouvernement et retransmis par Nolin plutôt que par les chefs métis reconnus marqua le point tournant des événements d'un Saskatchewan dont l'hiver s'achevant annonçait le printemps de 1885. Il y avait toujours eu des Métis qui croyaient que la violence était le seul moyen de convaincre Ottawa du bien fondé de leurs griefs. Au début, Gabriel Dumont, avec le sens profond des responsabilités sociales dont il avait fait preuve au temps de la commune de Saint-Laurent, n'était pas de ceux-là. Mais la pétition de 1884 n'ayant apporté aucun autre résultat que la vague promesse d'une autre étude, la patience de Gabriel prit fin. Il était trop réaliste pour croire que les Métis gagnerait une longue guerre: il croyait cependant qu'une courte guérilla bien conduite pourrait forcer le gouvernement canadien à négocier véritablement.

Pourquoi Macdonald fut-il si négligent à s'occuper des plaintes des Métis?

Cette nécessaire révolte devait orienter le cours des événements des mois de février et mars 1885. Le télégramme de Macdonald connu, Dumont avait dit à Riel que leur année de travail n'avait servi à rien. Le gouvernement n'allait pas répondre à des pétitions, mais à une action draconienne. Sa lecture du télégramme achevée, Riel frappa du poing sur la table et cria: "Dans moins de quarante jours, Ottawa aura ma réponse." Riel et Dumont savaient quelle serait la réponse.

Le Gouvernement provisoire

Le 24 février 1885, Dumont et Riel convoquaient une assemblée à Batoche pour discuter du télégramme de Macdonald. Les pères Moulin, Fourmond et Vegreville étaient présents dans l'église, en ce jour mémorable. L'inspecteur Gagnon de la Police Montée crut plus prudent de rester à l'extérieur.

Riel commença son discours par une tirade contre le gouvernement qui volait sans aucune pitié l'Ouest à ses natifs. Puis il annonça calmement que sa tâche était terminée. Une pétition avait eu lieu et on y avait répondu. Une commission gouvernementale prendrait en considération les plaintes des Métis. Quant à lui, il retournerait au Montana. Des cris de protestation s'élevèrent dans l'église, les plus hauts venant de Dumont et de ceux qui s'étaient engagés à agir. Et quand Riel ayant laissé entrevoir l'utilisation de mesures radicales demanda aux Métis s'ils assumaient les conséquences du maintien de son leadership, ils crièrent leur accord.

La nouvelle stratégie commença à percer, une semaine plus tard, quand Riel, debout sur les marches de l'église de Saint-Laurent, avoua ouvertement que les Métis pourraient avoir recours à la force. Le lendemain 2 mars, il sollicita du père André l'autorisation de former un gouvernement provisoire. Un gouvernement, celui du Canada, ayant déjà une existence établie, le père André refusa en appuyant sur le fait que la situation actuelle était bien différente de celle de la Rivière Rouge, en 1869. Le lendemain, à une assemblée conjointe des Métis et des mécontents anglophones, Riel et Dumont s'avancèrent à la tête d'une colonne de soixante Métis armés. Riel prétendit que la Police Montée tentait de l'arrêter puis, pointant son escorte armée, il dit: "Ce sont eux, la vraie police." A la suite de cet incident, les colons canadiens et britanniques se détournèrent de Riel, et les sang-mêlés anglophones commencèrent à adopter une attitude de neutralité vigilante. Les Métis restèrent seuls.

Mais la situation en était arrivée à un point de non-retour. A l'assemblée secrète du 5 mars, les chefs métis

En quoi la colonisation de l'Ouest canadien diffère-t-elle de celle de l'Ouest des Etats-Unis?

rédigèrent un document les engageant à sauver leurs
âmes par une vie de droiture continuelle en toute chose
et en tout lieu et à sauver leur patrie d'un gouvernement
pervers en prenant les armes si nécessaire. Dirigés par
Dumont et Riel, les onze Métis présents apposèrent
leurs signatures ou leurs marques au serment. Dumont
et Riel s'étant rendus chez Charles Nolin lui demandèrent de signer. Nolin différa. Il suggéra que, si les chefs
métis désiraient sérieusement travailler à la gloire de
Dieu, ils devaient faire une neuvaine, neuf jours de
prières publiques et de confessions, avec l'espoir que le
Saint-Esprit puisse éclairer leurs consciences.

Riel et Dumont acceptèrent: c'était un bon moyen de
réunir leurs supporteurs. La neuvaine devait commencer le 10 mars. Les prêtres croyaient qu'ils avaient
gagné du temps, mais la Police Montée était moins
optimiste. Ses espions lui avaient rapporté que Dumont
parlait de capturer le fort Carlton et que ses hommes
s'armaient pour la bataille. L'Ouest et Ottawa
échangèrent en toute hâte quelques télégrammes. Le 18
mars le commissaire Irvine quitta Regina, en direction
de Prince Albert, à la tête de cent policiers montés, et le
Saskatchewan Herald, journal de Battleford, rapportait: "Début de révolte. Riel et ses compagnons
avancent, et la police de même."

Pendant qu'Irvine quittait Regina, Dumont parcou-
rait la région à cheval pour y rassembler des
supporteurs. Il visita toutes les communautés métisses.
Les deux chefs cris Beardy (le Brave) et One Arrow
(d'Une-Flèche) lui promirent leur concours. Le 18 mars
Lawrence Clarke arrivait au ferry de Batoche, ayant
quitté Winnipeg pour le fort Carlton. Il demanda aux
Métis présents si ceux-ci tenaient encore des assemblées. Ils lui répondirent qu'il y en avait presque tous les
jours. "Très bien, lança Clarke, mais ça n'est pas pour
longtemps encore. La police est à leurs trousses...
Demain ou après demain, ils auront cueilli Riel et
Dumont."

Ayant appris cette nouvelle, Dumont et Riel entrèrent
dans Batoche, accompagnés de soixante-dix hommes
armés. Là ils firent main basse sur le stock d'armes et de
munitions du magasin de John Kerr et retinrent comme
otages Kerr lui-même et deux clients non-métis. C'est la
participation de Dumont à cette opération qui fut la
plus remarquée. Kerr se souviendra de Dumont comme
de celui qui commandait les moindres gestes de toute
l'unité.

Les rebelles ayant quitté le magasin de Kerr se
rendirent à l'église de Batoche. Aux protestations du

père Moulin Riel répondit par la raillerie: "Le prêtre est un protestant", puis il cria: "Rome est tombée." Il fit entrer ses partisans dans l'église et leur promit qu'un gouvernement provisoire serait instauré. Le lendemain 19 mars, il y eut une assemblée générale après qu'on eut coupé les lignes télégraphiques. Riel proposa Dumont au poste de général adjudant de la nation métisse, en charge de l'armée. Il fut élu par acclamation. Dumont s'occupa ensuite de choisir douze conseillers qui furent aussi élus sans difficulté. Riel refusa toute fonction officielle, et le seul membre non-métis du Gouvernement provisoire du Saskatchewan fut William-Henry Jackson qu'on avait choisi comme secrétaire.

Dumont organisa sur-le-champ son armée d'urgence de trois cents hommes selon les coutumes de la chasse au bison. Deux capitaines de dix éclaireurs chacun furent choisis pour patrouiller les rives est et ouest de la rivière. Le reste de l'armée fut divisé en dix compagnies d'attaque conduites chacune par un capitaine. Dumont proposa que les Indiens fussent tout de suite invités à se joindre à la révolte et que des attaques surprises fussent conduites contre Fort Carlton et Prince Albert pour saisir armes et munitions et avoir l'avantage tactique de frapper les premiers. Riel s'y objecta. Ce premier désaccord entre Riel et Dumont aboutit au conseil où il fut décidé qu'on s'emparerait du fort Carlton, sans effusion de sang, à moins d'être forcé au combat, situation où la justice commandait le recours aux armes.

Le fort Carlton

Quelques mois auparavant, un détachement de la Police Montée s'était installé au fort Carlton. Il était sous les ordres de Leif Crozier contre qui Dumont s'était battu dix ans plus tôt, à Saint-Laurent et qui avait maintenant le titre de surintendant. Au lieu d'attaquer Crozier, le Gouvernement provisoire lui adressa un ultimatum l'enjoignant de se rendre: "Vous êtes requis de céder toute la position dans laquelle le gouvernement du Canada vous a placé à Carlton et Battleford de même que toutes les propriétés gouvernementales."

Evidemment, Crozier ne se rendit point à ces demandes, et les Métis n'attaquèrent pas le fort Carlton le 23 mars, date de l'ultimatum. Ils attendaient de connaître la position des sang-mêlés anglophones. Le 24 mars les anglophones choisissaient de faire parvenir une autre pétition et de rester neutres dans tout combat à venir. Les Métis se retrouvaient seuls à leur première bataille, que Riel n'avait pas prévue et que Dumont allait devoir diriger.

La bataille du lac Duck

Le sang coule au lac Duck

La bataille débuta le 26 mars. Dumont ayant appris que les espions de Crozier étaient dans le secteur du lac Duck, sur la rive opposée à Batoche, décida de conduire des hommes au pillage des magasins d'armes et de munitions du lac Duck avant que la Police Montée ne pût les confisquer. La mission connut le succès et, pendant la nuit, Dumont captura deux éclaireurs de Crozier. Puis, au lever du jour, on entendit: Les policiers avancent! Averti que les Métis se préparaient à occuper le lac Duck, donc ignorant qu'ils l'avaient déjà fait, Crozier avait dépêché un détachement de quinze policiers et de sept volontaires de Prince Albert commandés par le sergent Stewart et assistés par le guide sang-mêlé Thomas McKay pour reprendre des provisions venues du gouvernement et laissées dans l'un des magasins.

Dumont et ses trente hommes partirent sur-le-champ intercepter le groupe policier. Un échange verbal tapageur s'ensuivit, et des coups de feu partis accidentellement qui ne firent à peu près pas de dommages. Avec sa force policière peu nombreuse, Stewart décida abruptement que l'heure n'était pas à la bravoure. Ses traîneaux firent demi-tour et rentrèrent précipitamment au fort Carlton pendant que Dumont et ses hommes reprenaient la direction du lac Duck dans la jubilation.

Mais, comme Dumont le dira, bien des années après, en racontant la Révolte du Nord-Ouest: "Nos chevaux, laissés dehors, avaient à peine mangé que nous entendîmes quelqu'un crier: "Les policiers s'en viennent!" Au fort Carlton, Crozier et ses officiers avaient été profondément blessés par le déshonneur de la retraite de Stewart. On craignait que, si rien n'était fait, la révolte pût s'étendre rapidement. Crozier aurait pu attendre l'arrivée du commissaire Irvine avec des renforts policiers, mais les volontaires de Prince Albert exigeaient de l'action. Crozier décida de lancer sur-le-champ, à l'assaut du lac Duck, toute la garnison du fort Carlton. Les forces de Crozier comprenaient 56 policiers montés et 43 volontaires de Prince Albert, quelques-uns montés, d'autres conduisant des traîneaux. Ils emportèrent avec eux un canon de sept livres. Pendant ce temps la nouvelle du premier combat avait amené trois cents Métis à cheval de Batoche et de Saint-Laurent. Riel était avec eux de même que quelques Cris des réserves voisines. Tout de suite Dumont partit, avec une avant-garde, préparer une embuscade. Il choisit un lieu plein de buissons bas, un ravin où ses hommes pourraient ramper, inaperçus, et, sur un côté, une maison de billes où les francs-tireurs pourraient se cacher. Mais ses éclaireurs ayant détecté l'embuscade, Crozier commanda à ses hommes de s'arrêter, fit faire une barricade de ses vingt traîneaux et préparer le canon pour la bataille.

Pendant ce temps, Isidore, le frère de Gabriel et le vieil Indien Aseeweyin s'étaient avancés pour parlementer. L'interprète sang-mêlé anglophone McKay vient à eux, accompagné de Crozier placé derrière. Apparemment, le vieil Indien tenta de saisir le pistolet de l'interprète et, comme McKay faisait feu sur lui, Crozier donna l'ordre d'une salve générale. Isidore Dumont tomba mort de son cheval. Gabriel, devenu furieux, ordonna à ses hommes de riposter. Un feu sans merci des trois côtés de l'embuscade partit dans la direction des policiers et des volontaires pendant que Riel promenait une croix qu'il avait arrachée plus tôt à une chapelle des lieux et criait: "Au nom de Dieu qui nous a créés, répondez à leur feu!"

Dans son excitation, le canonnier de la police tira avant de charger et le canon s'enraya. Gabriel Dumont fut blessé à la tête. Son jeune frère Edouard prit le commandement. La tactique établie par Gabriel ne laissant pas d'autres choix aux hommes de Crozier que la fuite ou l'extermination, le surintendant fit sonner bientôt la retraite. Dix de ses hommes avaient été tués et treize blessés, dont deux mortellement. Les Métis comptaient cinq tués et trois blessés, dont Dumont. Pour les Métis, c'était la victoire. Les Dumont voulurent poursuivre et massacrer l'ennemi en déroute, mais Riel les implora, pour l'amour de Dieu, de n'en pas tuer davantage puisqu'il y avait déjà eu assez de sang versé.

Crozier revint penaud au fort Carlton où le commissaire Irvine l'attendait avec cent huit hommes, ce qui aurait pu suffire pour changer une défaite en victoire au lac Duck. Irvine reprocha à Crozier son impétuosité et chercha ce qu'il devait faire dans sa situation insoutenable. La police était claquemurée avec plus de deux cents personnes, dont des femmes et des enfants venus des fermes avoisinantes, dans un fort mal en point au pied de collines sur lesquelles les éclaireurs métis étaient déjà en train de s'établir.

Irvine croyait que les Métis attaqueraient Fort Carlton ou Prince Albert laissé sans défenseurs. Il décida de se rendre à Prince Albert qui pourrait être fortifié et où des gens avaient besoin de protection. Il fut aidé par la piété de Riel qui demandait aux Métis de consacrer tout le reste de cette journée de bataille à des prières pour les âmes de leurs morts.

Irvine et ses hommes passèrent la journée du 27 à bourrer les magasins du fort Carlton pour l'évacuation prévue le lendemain. Mais cette nuit-là un incendie éclata dans le fort et la garnison prit la poudre d'escampette dans l'obscurité précédant l'aube, anxieuse d'échapper aux flammes révélatrices. Ses éclaireurs l'ayant averti que les premiers chariots avaient quitté le fort, Dumont voulut les attaquer dans une grande forêt d'épinettes qui devait être traversée. "Nous aurions pu en tuer plusieurs, faisait-il remarquer, mais Riel, qui nous gardait toujours en laisse, s'opposa au projet." Une fois encore, le rêve de Riel d'un traité sans effusion de sang accordait un répit à l'ennemi. Dumont qui voyait s'envoler des avantages stratégiques certains rageait intérieurement tout en faisant de son mieux pour calmer l'impatience de ses jeunes capitaines. Ils devraient se contenter de la victoire d'avoir à traverser un fort Carlton déserté pour en prendre formellement possession.

Très loin, à Ottawa, les nouvelles du lac Duck forcèrent finalement Sir John Macdonald à agir. Le 26 mars, le jour même de la bataille du lac Duck, Macdonald se leva à la chambre des députés pour déclarer — en dépit de sept ans d'avertissements venus de tous les côtés —: "Nous ne savons rien du motif du soulèvement des sang-mêlés menés par Riel." Mais, dans les faits, depuis quelque temps, il avait donné instruction à Winnipeg, au major général Frederick-Dobson Middleton, commandant de la milice canadienne, d'agir. Middleton arriva le 27 mars et, sans s'arrêter, continua en direction ouest avec un régiment de la milice locale, mobilisé à la hâte, les fusiliers du 90e. A Qu'Appelle une base fut établie pour les miliciens mobilisés en Ontario, au Québec et au Manitoba.

Chapitre 11

La victoire de Fish Creek

Pourqoi si peu d'Indiens donnèrent leur appui à Dumont et Riel?

Le Gatling

Dumont avait cru que la révolte s'étendrait à toutes les Prairies. Son rêve ne se réalisa qu'en partie. Les Cris et quelques Assiniboines se soulevèrent dans le nord du Saskatchewan avec, à leur tête, les chefs Poundmaker et Big Bear. La confédération des Pieds-Noirs resta cependant à l'écart. Quelques Sioux seulement honorant leur ancienne alliance avec les Dumont vinrent se joindre aux rebelles à Batoche. Les chefs les plus puissants, Crowfoot, Pianot et Sitting Bull firent la sourde oreille aux appels de Dumont et, même chez les Métis, aucune autre grande colonie des Prairies ne vint à Batoche se joindre à la résistance armée.

Le plan d'action de Dumont dans les semaines qui suivirent la bataille du lac Duck était de gagner les Indiens et les Métis non encore engagés et ce, avant que l'armée de Middleton pût être constituée pour marcher sur Batoche. Middleton avait regroupé six mille hommes. Plusieurs d'entre eux seraient nécessaires pour protéger les longues voies de communication depuis Winnipeg et pour défendre les dépôts de Qu'Appelle et de Swift Current. Pendant que des colonnes étaient dépêchées pour négocier avec Poundmaker et Big Bear, de huit cents à mille hommes pouvaient marcher, en direction nord, sur Batoche, accompagnés de l'artillerie et du fameux Gatling du lieutenant Howard. Middleton quitta Qu'Appelle le 6 avril, sans hâte, car il attendait des troupes et du ravitaillement. Il atteignit le ferry Clarke, à soixante kilomètres au sud de Batoche, le 17 avril. Dans l'attente de renforts, il partagea sa colonne en deux pour couvrir les deux rives de la Saskatchewan.

Dumont était informé de tout ce que Middleton faisait puisqu'il avait des éclaireurs jusqu'à Qu'Appelle et qu'un de ses espions, Jérôme Henry, était conducteur d'un attelage dans la colonne canadienne. S'appuyant sur leurs renseignements, il travaillait à une guérilla de harcèlement. Il voulait envoyer des hommes dans le sud-est faire sauter des voies de chemin de fer et détruire des ponts afin d'isoler Middleton de l'est du Canada. D'après lui, il aurait proposé d'aller au-devant des troupes, de les harceler la nuit et, par-dessus tout, de les empêcher de fermer l'oeil, croyant que c'était la bonne façon de les décourager. Si ces mesures perturbatrices avaient réussi à gêner et peut-être même à stopper l'avance des colonnes canadiennes, les Indiens et Métis non engagés auraient pu se ranger du côté des rebelles.

Une fois encore Riel s'y opposa, faisant valoir que la Police Montée occupait Prince Albert en force et qu'avec seulement trois cent cinquante soldats équipés et seulement deux cents bons fusils les Métis ne pouvaient pas disposer d'hommes pour harceler Middleton. Il dit à Dumont que les tactiques de guérilla rappelaient trop la guerre à l'indienne et que les attaques de nuit comportaient le risque de tirer sur les Canadiens français qui s'étaient joints à Middleton. Dumont protesta, disant que, Français ou Anglais, il pouvait difficilement les traiter en amis s'ils venaient le combattre. Mais Riel répliqua: "Si tu les connaissais, tu ne voudrais pas avoir affaire à eux de cette façon."

Riel était peut-être tout autant sous le coup d'une inspiration visionnaire que d'un raisonnement bien de ce monde car son rêve de créer un nouvel ordre dans les Prairies occupa beaucoup de son temps et de son attention pendant les courtes semaines qui vont de la bataille du lac Duck à l'arrivée de l'armée de Middleton. Si Dieu devait intervenir miraculeusement en faveur des Métis, d'avance on devrait obéir à sa volonté. Le conseil devait discuter de certaines questions théologiques, passant des résolutions à l'effet qu'un Dieu miséricordieux ne pouvait probablement pas avoir décrété un enfer éternel et que le sabbat serait respecté, comme le voulait la Genèse, le samedi. Aux protestations des prêtres Riel déclarait que l'infaillibilité du pape était révolue et que le Saint-Esprit l'avait mandaté pour réformer l'Eglise. Il préférait compter sur la Divine Providence pour traiter avec les ennemis des Métis: Laissez venir les soldats, Dieu donnera le signal du combat.

En dépit de sa fine connaissance de la situation militaire, Dumont accepta les décisions de Riel même si les raisons de cette acceptation, compte tenu de son influence comme chef des Métis du Saskatchewan, demeurent mystérieuses. Sa propre explication est beaucoup moins simple qu'elle n'apparaît au premier abord. "J'ai cédé au jugement de Riel, disait-il, même si j'étais convaincu que, d'un point de vue humain, mon plan était meilleur. J'avais confiance en sa foi et ses prières et que Dieu l'écouterait." Visiblement, la conscience de Dumont était divisée. D'une part, il y

Le major général Frederick-D. Middleton

avait le chasseur et guerrier très expérimenté qui jamais n'abandonna sa vision de la stratégie nécessaire à la révolte. D'autre part, il y avait le pieux Métis aux yeux de qui Riel avait remplacé les missionnaires qui avaient perdu toute crédibilité en refusant d'appuyer la rébellion. Ce qui fit pencher la balance, ce fut, en partie, la loyauté de Dumont envers Riel mais, également, ces liens affectifs qui s'étaient développés entre eux, durant des mois, depuis leur retour du Montana. Peu importe, il reste que Dumont accepta l'interdit de Riel jusqu'à la dernière heure et il ne fait aucun doute que l'irrésolution qui marqua les premiers jours de la rébellion isola les Métis de Batoche et les empêcha d'étendre leur lutte à toutes les Prairies.

Il aurait pu en être bien autrement. Sandford Fleming, ingénieur en charge de l'arpentage pour le CPR, avait prévenu Macdonald: "De vouloir momentanément freiner la crise conduirait à se soulever des milliers d'Indiens présentement tranquilles." Militairement et politiquement, Dumont était un homme mieux avisé que Riel qu'il était allé chercher pour résoudre les problèmes de son peuple. Mais il ne fut tenu compte de l'avis de Gabriel que quand l'armée de Middleton commença à se mettre en marche vers le nord, dernière étape de sa progression sur Batoche. A ce moment-là, l'heure d'un soulèvement général dans les Prairies était passée.

Le 23 avril, quand l'armée canadienne changea brusquement de direction à partir du ferry Clarke, Dumont et ses capitaines perdirent patience. Dumont ne pouvait plus tolérer plus longtemps qu'on laissât Middleton libre de ses allées et venues dans sa bien-aimée patrie, le Saskatchewan: "Je dis à Riel (...) que j'avais projeté sortir et tirer sur les envahisseurs et que j'avais l'appui de mes hommes."

Enfin Riel acquiesça. Dumont envoya sur-le-champ des messagers auprès de Poundmaker et Big Bear annoncer que l'heure du combat était venue et leur demander de prendre la tête de leurs guerriers en vue de défendre Batoche. Ses éclaireurs lui dirent que la colonne de Middleton campait à dix kilomètres au sud de Fish Creek. Dumont proposa une attaque de nuit où les sentinelles ennemies seraient poignardées sans bruit, la prairie incendiée, où deux cents cavaliers métis traverseraient le camp, tuant, incendiant, pillant pour ensuite s'évanouir dans la nuit. Mais cette nuit-là les éclaireurs de Middleton étaient au travail, transportant du fourrage d'un magasin identifié le même jour. Les éclaireurs de Dumont en conclurent faussement que les Canadiens étaient sur leur garde. L'attaque de nuit n'eut jamais lieu.

Cet avantage perdu, Dumont planifia une embuscade de jour à la coulée Tourond où Fish Creek courait rejoindre la Saskatchewan sud. A travers la coulée et sur le haut jusqu'aux pâturages au sud de Batoche serpentait la piste que Middleton et sa colonne, selon les informations reçues de Jérôme Henry, devaient prendre. C'était une embuscade naturelle. Les bons tireurs soigneusement placés dans le lit du cours d'eau et sur les pentes du haut pouvaient avoir la maîtrise de la piste tout le long du ravin et, en bas, d'épais boisés descendaient vers le cours d'eau et le pont que les hommes de Middleton devraient traverser.

Accompagné de Riel, Dumont quitta à la tombée de la nuit avec une colonne disparate d'environ deux cents Métis et Indiens, les uns à cheval et les autres à pied. Trente hommes avaient été laissés à Batoche sous les ordres d'Edouard Dumont. A minuit, après plusieurs arrêts à la demande de Riel pour réciter le chapelet, la colonne s'arrêta pour tuer et faire rôtir deux vaches pour le souper. C'est alors qu'ils furent rejoints par des messagers leur annonçant que la Police Montée venait par Qu'Appelle pour surprendre Batoche: des renforts devenaient nécessaires. Riel rebroussa chemin avec cinquante hommes, Dumont gardant le reste de la troupe pour attaquer une force canadienne plus de cinq fois supérieure en nombre. A sept heures, comme lui et ses hommes déjeunaient d'une autre bête abattue, un éclaireur vint l'avertir que les forces de Middleton approchaient de la coulée.

"Je plaçai donc cent trente de nos hommes dans une anfractuosité, sur la berge gauche de Fish Creek faisant face à la maison des Tourond, se rappela Gabriel, et je cachai leurs chevaux dans les bois. J'avançai avec vingt cavaliers afin de couvrir le sentier que les troupes devaient emprunter. Je ne projetais pas de les charger avant que les autres n'eussent pu les repousser et je donnai comme principale instruction de ne pas les attaquer avant que tous ne fussent dans la coulée."

En dépit des précautions prises par Dumont, ses hommes, désobéissant à ses ordres, traversèrent la voie menant du ferry de Clarke au ferry Gabriel. Les éclaireurs de Middleton virent leurs pistes et alertèrent l'armée. La folle hardiesse personnelle de Dumont le priva aussi de sa dernière chance de prendre l'ennemi par surprise: il s'élança à la poursuite d'un éclaireur canadien. "J'allais le rattraper, dira-t-il, quand on fit feu sur moi. Mes hommes me crièrent que je donnais plein dans une troupe de quarante hommes que je n'avais pas vue, obsédé que j'étais de capturer ma proie."

La bataille était engagée, et Dumont voyait ses plans soigneusement construits, déjoués. Son groupe de vingt tireurs faisait maintenant face à toute la force de Middleton. Après avoir fait feu derrière le couvert des buissons qui le séparaient de la féroce riposte ennemie, Dumont et ses hommes levèrent le camp au galop pour rejoindre le groupe qu'il avait laissé dans le haut du ravin. Il le retrouva désertant et pris de panique à la vue de l'artillerie de Middleton qui n'était pas encore entrée en action. Même si Dumont put retenir quinze hommes qui allaient déserter, il n'en restait plus que quarante-sept des cent trente qu'il avait laissés. Avec les quinze hommes qui lui restaient de sa propre troupe, ils étaient maintenant un peu plus de soixante pour combattre quatre cents fusiliers qui tentaient de se faire un passage à travers le ravin.

Mais Dumont n'avait pas l'intention de céder. Il n'était pas en bonne condition: sa blessure du lac Duck avait été négligée, et l'inflammation le faisait souffrir. Mais il était si fébrile qu'il en oublia ses malaises et put inspirer les hommes qui avaient choisi de rester. Ils étaient la fleur de son peuple. C'étaient les vieux compagnons des jours de la chasse au bison et le meilleur des jeunes Métis.

Tout le jour, tandis qu'ils se tenaient dans leurs petits trous de fusiliers, à l'orée des boisés, Gabriel et ses hommes attendaient du secours de Batoche. Mais Riel, qui priait depuis des heures, les bras en croix, en exhortant les femmes et les enfants à faire de même, n'enverrait aucun homme, même si l'attaque des policiers venus de Qu'Appelle ne s'était pas produite. Finalement, Edouard Dumont perdit patience. "Mes frères sont là-bas, dit-il, et je ne les laisserai pas se faire tuer sans leur apporter mon aide." Il rassembla quatre-vingts cavaliers métis et indiens qui filèrent à Fish Creek. A la tombée de la nuit, il conduisit ses hommes à la coulée dans une charge de tirs. Les Canadiens durent reculer, et Middleton retira ses troupes. Edouard n'était pas venu trop tôt: les Métis allaient manquer de munitions; depuis midi ils tiraient peu, mais juste.

C'était une victoire pour Dumont. Ses hommes et lui avaient tenu en échec et sévèrement malmené une armée beaucoup plus nombreuse. Il se gagna même l'admiration de ses ennemis, comme Middleton l'admit dans un télégramme à Ottawa: "Leurs plans étaient bien pensés et, n'eût été de mes éclaireurs, nous aurions été attaqués dans le ravin et probablement décimés." Le *Toronto Mail,* le lendemain de la bataille, rapportait ce qui suit: "Gabriel Dumont commande les rebelles et le fait avec une adresse consommée." Mais, comme au lac Duck, ce ne fut pas une victoire décisive. Pour les Canadiens, cela signifiait que la répression éventuelle de la révolte était reportée puisque Middleton devait accorder un repos à ses hommes et réorganiser sa colonne. Mais ce n'était pas ce type de déroute militaire qui ferait changer la politique de Macdonald et amorcerait les négociations.

Chapitre 12

La chute de Batoche

Après la bataille, Middleton attendit des renforts à Fish Creek. La colonne qui marchait du côté ouest de la rivière fut transportée du côté est pour renforcir la colonne principale. Middleton attendit encore d'autres hommes venant de Swift Current sur le Northcote, bateau à roues arrière réquisitionné de la Compagnie de la baie d'Hudson. Le Northcote ne put quitter Swift Current avant le 23 avril. Il mit quatorze jours à se rendre au ferry de Clarke, dans une rivière obstruée de bancs de sable. Enfin, le 7 mai, la colonne canadienne se remettait en marche: huit cent cinquante hommes, quatre canons, un Gatling, un train de cent cinquante chariots de ravitaillement dont les bêtes à elles seules mangèrent la moitié des provisions. Middleton, qui craignait les embuscades, avait décidé de suivre la piste riveraine sans toutefois dépasser le ferry Gabriel. Il pourrait alors attaquer à l'intérieur des terres, dominant les vastes pâturages et avancer, venant de l'est, sur Batoche, à travers l'étendue de prairie que les Métis appelaient "la belle prairie". A une petite échelle Middleton projeta de combiner des opérations navales et terrestres. Il avait laissé trente soldats et deux officiers sur le Northcote avec instruction de créer une manoeuvre de diversion en descendant la rivière pour accoster en aval de Batoche pendant que le gros de l'attaque débuterait de l'autre côté.

A Batoche, une fois de plus, il y avait désaccord entre Riel et Dumont. Dumont voulait harceler les campements ennemis et dresser des embuscades dans les bois sur le parcours des Canadiens. Riel lui répondit que Dieu lui avait dit, dans ses visions, d'attendre jusqu'à l'attaque de Batoche et de contre-attaquer alors. Mais les Métis n'étaient pas faits pour une guerre de siège, même contre une armée d'amateurs comme celle de Middleton. Leur force résidait dans leur connaissance des vastes prairies où, sous les ordres d'hommes comme Dumont et ses frères, ils auraient pu, par une guerre d'escarmouches, maintenir les forces canadiennes dans un état de constante tension durant des mois et peut-être des années.

Dumont et ses meilleurs capitaines le savaient, mais, quand Riel ne se rendait pas à leurs arguments, ils laissaient leur étrange respect pour ce chef mystique prendre le dessus sur leur sens des réalités. Ils commencèrent à creuser leurs tranchées et leurs trous en les espaçant avec soin et en dissimulant leurs meurtrières dans des billes de bois et des parapets de tourbe, ce qui rendrait les défenseurs de Batoche invisibles et invincibles jusqu'à l'épuisement des munitions. Quelques-uns, comme Gabriel, avaient des Winchesters et un stock honnête de cartouches; d'autres, comme Edouard, avaient enlevé des carabines aux hommes de Middleton; plusieurs n'avaient que leurs mousquets primitifs de trafiquants ou même aucune arme à feu. Ils firent fondre le plomb de leurs caisses de thé pour se faire des balles et se taillèrent des projectiles pour leurs fusils dans de la ferraille.

La main-d'oeuvre était aussi rare que le plomb. Aux huit cent cinquante hommes de Middleton Dumont pouvait en opposer à peine plus de trois cents. Soixante d'entre eux étaient chargés de la rive ouest de la Saskatchewan et un petit groupe avait la garde du ferry de Batoche. Environ deux cents autres se trouvaient dans les trous de tir ou encore chargés de protéger le chapelet de cabanes et les quelques grosses maisons qui constituaient tout le capital métis. Il est difficile de dire quelque chose sur la qualité du moral des Métis de Batoche. Il y eut des actes d'héroïsme suicidaires, notamment chez les plus âgés qui luttaient pour un passé qui allait mourir. Louis Schmidt, un ami de Riel qui ne prit aucune part à la bataille, estimait que seul un tiers ou un quart de la population de Batoche était réellement engagé dans la résistance. Il est certain que leur espoir d'un appui venu des Indiens et des autres Métis fut déçu. Dumont avait envoyé à Poundmaker un messager pressant qui demandait une aide immédiate. Mais le chef indien qui venait à peine de vaincre un détachement canadien à Cut Knife Hill n'entreprit sa marche sur Batoche qu'après la défaite. Une centaine de Métis du lac Saint-Anne, près d'Edmonton, et une soixantaine d'autres partis de Battleford rebroussèrent chemin quand des messagers leur apprirent la défaite. Toutes ces forces regroupées auraient pu l'empêcher.

Le 7 mai Middleton avançait vers le ferry Gabriel. Ses hommes incendièrent la maison de Dumont, jetèrent au sol ses étables et en prirent le bois pour fortifier le pont supérieur du Northcote. Ses biens, y compris sa table de billard de prix, furent pillés. Le 8 mai Middleton avançait, direction est, puis direction nord et campait à

Francs-tireurs métis faisant feu sur le Northcote
Middleton y avait placé 30 soldats et 2 officiers. A la première salve, le timonier se jeta au plancher, et le Northcote dériva hors du champ de tir et de la bataille.

côté de la piste reliant Batoche à Humboldt. Il avait prévu que, le lendemain matin, le Northcote et une colonne armée passeraient à l'attaque, à partir des deux côtés opposés du village, à neuf heures précises.

La colonne prit plus de temps que prévu tandis que le bateau, avec une heure d'avance, fit volte-face dans le grand tournant au-dessous de l'église de Batoche et commença sa propre bataille contre les francs-tireurs que Dumont avait placés de chaque côté de la rivière.

L'attention de Dumont trompée par le Northcote, Middleton s'avança sur Batoche. Mais au lieu d'attaquer par l'est, il fit tourner son armée direction sud puis établit son quartier général dans une ferme à l'écart. Ensuite les soldats canadiens avancèrent en tirailleurs, et les canons furent placés sur une butte à un kilomètre et demi du village. La bataille commença par les appels des clairons et par un ou deux éclats du Gatling du lieutenant Howard. Les coups sifflèrent au-dessus de la tête des Métis cachés dans leurs trous établis sur la pente de la colline de façon à pouvoir tirer avec une précision mortelle sur les fusiliers canadiens qui se présentaient au-dessus d'eux à l'horizon.

Dumont avait pris sa position: en évidence sur la prairie, assis sur un de ses talons avec un genou au sol. Il pouvait de la sorte donner vitement des ordres qui étaient répétés d'un trou à l'autre. Ses hommes ne sentirent jamais qu'il leur demandait de faire des choses auxquelles il n'eût pas consenti lui-même, et ses ennemis, dans leurs comptes rendus admiratifs à Ottawa, disent de lui qu'il se battait tout le jour comme un tigre. Il dirigeait avec soin les opérations des Métis: leurs mouvements précipités pour déborder l'ennemi, leurs feintes pour donner l'impression d'être nombreux et leurs reculs derrière les buissons ou dans leurs trous de tir invisibles. Ici encore leurs pertes étaient minces par rapport à celles des miliciens canadiens. Les canons de Middleton cognaient au loin, frappant bas, incendiant les constructions de Batoche et de la partie éloignée de la rivière mais faisant peu de dommages aux fortifications rudimentaires des Métis.

Le combat, au soir du premier jour, n'avait pas de vainqueurs. L'armée de Middleton se retira à la ferme des Caron mais fut gardée éveillée par les coups de feu et les hurlements des éclaireurs de Dumont qui rôdaient autour du campement. Les deux jours qui suivirent ressemblèrent au premier, les hommes de Middleton marchant sur le côté de la colline où les Métis avaient concentré leur attaque. Les clairons, le soir, les ramenaient au campement.

Les pertes humaines étaient presque toutes canadiennes. Celles des Métis étaient d'un autre ordre. Le soir du troisième jour, ils n'avaient presque plus de munitions: les projectiles de métal, les clous et même les pierres avaient remplacé les balles.

Le quatrième jour, c'était le 12 mai, la bataille se termina de façon abrupte et inattendue. Durant l'après-midi Middleton avait tenté l'une de ses manoeuvres de diversion qui n'avaient jamais réussi puisque les Métis avaient toujours pu les prévoir. Soudain, la patience des miliciens eut son compte. Conduits par quelques officiers désobéissant aux ordres du général, ils chargèrent férocement au pied de la colline et poussèrent les Métis épuisés hors de leurs trous de tir. Il n'y eut aucune résistance avant que les défenseurs ne fissent halte parmi les maisons du village. C'est alors, dans ce dernier geste de résistance, que la plupart des Métis tués le furent, dont deux vaillants vieillards, Joseph Ouellette âgé de 93 ans et Joseph Vandal qui en avait 75.

Aux dernières heures de Batoche, Dumont se montra à son meilleur:

"Quand les troupes pénétrèrent dans Batoche (...) nos hommes reculèrent d'un demi-kilomètre. Je restai, sur les hauteurs du terrain, avec six de mes braves camarades. Là, durant une heure, j'arrêtai l'avance de l'ennemi (...). Puis je descendis du côté de la rivière où je courus vers sept ou huit hommes qui, comme bien d'autres, étaient en fuite. Je leur demandai de venir avec moi dresser une embuscade à l'ennemi. Ils refusèrent. Je les menaçai de tuer le premier homme qui fuirait. Ils me suivirent, et nous pûmes ainsi retenir les Anglais à la baie pour une autre demi-heure."

L'assaut final sur Batoche

Quelle est l'importance pour nous de la Révolte du Nord-Ouest?

Les Métis qui n'avaient pas été tués ou faits prisonniers avaient été chassés du village. C'est là, dans un bois avoisinant, que Dumont vit Riel une dernière fois. Lui qui avait si souvent retenu ceux qui voulaient combattre pressait maintenant des hommes qui ne le voulaient pas de poursuivre la bataille perdue.

"Qu'allons-nous faire?" me dit-il dès qu'il me vit. "Nous sommes défaits", lui dis-je. "Nous mourrons. Vous auriez dû savoir, quand nous avons pris les armes, que nous serions battus. Aussi, ils nous détruiront!"

"Je dis alors à Riel que je devais aller à notre campement chercher des couvertures. Il me dit que je m'exposais beaucoup trop. Je lui répondis que l'ennemi était incapable de me tuer. A ce moment-là je n'avais peur de rien."

Le siège de Batoche était terminé. Les Canadiens qui avaient perdu les batailles précédentes gagnaient la guerre. C'était la fin de la cause et de la nation métisses telles qu'elles avaient existé, depuis près d'un siècle, dans les Prairies. Dumont passa les jours qui suivirent la défaite en fugitif autour de Batoche, cherchant à assurer la sécurité de sa femme Madeleine et de préparer la fuite de Riel au Montana. Durant le siège Madeleine avait soigné les blessures des rebelles et maintenant, avec les femmes de ceux qui avaient défendu le village, elle se cachait dans les bois au nord du ferry de Batoche. Dumont se glissa jusqu'au village occupé pour avoir des couvertures pour sa femme et

Un groupe de Métis prisonniers à Batoche

celle de Riel. "Le lendemain je cachai ma femme plus au
loin et je revins à la rivière pour voir si je pouvais
retrouver Riel."

Pendant que Dumont essayait de trouver Riel, la
police essayait de trouver Dumont, et les comptes
rendus ou les télégrammes militaires des jours qui
suivent la chute de Batoche rapportent plusieurs fois
qu'il a été vu à différents endroits dans un bon rayon
autour du village. Mais Gabriel surveillait beaucoup
mieux ses poursuivants que ces derniers, Gabriel, et
toujours il put leur échapper. Après trois jours, quand il
comprit qu'il ne pourrait vivre indéfiniment autour de
Batoche, Gabriel envoya Madeleine demeurer chez son
père Isidore qui n'avait pas pris part au soulèvement. Il
se remit ensuite à la recherche de Riel et revisita le
champ de bataille pour y ramasser les cartouches
perdues par les soldats canadiens. La noirceur venue, il
se rendit chez son père Isidore et lui dit qu'il songeait à
rester dans la région et à passer son été à harceler la
police avec l'aide des Métis et des Indiens qui
voudraient se joindre à lui dans une guerre de guérilla.
Isidore le pressa d'abandonner son projet. "Je suis fier
que tu ne te sois pas rendu, dit-il, mais, si tu restes ici
seulement pour tuer, tu passeras tout simplement pour
un idiot." Isidore lui recommanda de prendre la
direction de la frontière et Madeleine lui fit connaître
ses voeux. Gabriel consentit, mais il voulut savoir
auparavant ce qui était advenu de Riel. Le lendemain
15 mai, il apprit que Riel s'était rendu à Middleton.

Puisqu'il n'avait plus rien à faire pour Riel ou tout
autre Métis, Dumont décida qu'il était temps de sauver
sa peau. Il campa, cette nuit-là, dans un bois, avec son
cousin Jean et le fils de ce dernier, le jeune Alexis. Le

Gabriel Dumont et Louis Riel
furent les chefs d'une révolte
contre le gouvernement canadien. En quelles circonstances, s'il y en a, une rébellion contre l'autorité constituée peut-elle être justifiée
dans une société démocra-
tique?

chemin menant à la maison de son père étant surveillé, il était imprudent de la part de Gabriel de s'y rendre. Il dépêcha Alexis pour faire savoir à Madeleine qu'il partait enfin et pour obtenir de son père des provisions de voyage. Tout ce que le vieil Isidore put lui envoyer, ce furent six galettes d'avoine, d'orge et de farine de pois pesant chacune moins d'un demi-kilo. Gabriel avait son coursier, le meilleur de Batoche, son fusil favori et quatre-vingt-dix cartouches, un revolver pouvant tirer quarante coups: aussi était-il confiant qu'il pourrait défier tout poursuivant. A l'orée du bois, il fit ses adieux et partit. Mais il avait à peine chevauché cent mètres qu'il entendit son nom. Il se retourna, l'arme prête, mais c'était Michel Dumas qui l'avait accompagné au Montana. Dumas avait perdu son fusil et n'avait plus que quelques galettes. "Nous partons, dit Dumont, à la grâce de Dieu." C'est par ces mots qu'il termina son récit de la rébellion.

Aidés en chemin par les Indiens et Métis qu'ils rencontraient, les deux fugitifs mirent onze jours à atteindre la frontière, voyageant la nuit la plupart du temps. Si jamais la police les vit, elle n'intervint jamais. "Je me sentais protégé, dira Gabriel, et je n'ai jamais manqué de dire à la Sainte-Vierge: Vous êtes ma mère, guidez-moi!" La frontière traversée et se sentant en sécurité, Dumont et Dumas s'agenouillèrent pour réciter le chapelet en signe de reconnaissance.

Une photo tirée du Daily Sun Times, un journal d'Owen Sound, en Ontario, nous montre le retour, du Nord-Ouest, de volontaires canadiens.

La longue route du retour

En territoire américain, une patrouille montée arrêta les deux fugitifs et les conduisit au fort Assiniboine où ils furent détenus pendant que le président Grover Cleveland étudiait leur cas. Relâchés quelques jours après, ils commencèrent à vivre en réfugiés. Le premier souci de Gabriel fut d'aider Riel. Il fit le tour des communautés métisses du Montana, traversa même la frontière pour organiser un plan d'évasion que la Police Montée prit évidemment très au sérieux puisque les barraques de Regina étaient gardées par pas moins de trois cents hommes bien armés quand Riel fut pendu le 15 novembre 1885.

Pendant que Gabriel travaillait à secourir Riel, Madeleine vint le rejoindre, lui apportant la nouvelle de la mort de son père. Elle mourut elle-même au printemps 1886. Rien ne s'opposait plus maintenant à ce que Gabriel acceptât les offres persistantes qui lui avaient été faites depuis son arrivée aux Etats-Unis par le major John Burke qui représentait le colonel "Buffalo Bill" Cody. Le 7 juillet 1886, Dumont entreprit son premier voyage en train en direction de Philadelphie afin de se joindre au *Wild West Show* (Spectacle sur l'Ouest primitif). On le présenta comme un chef de la Révolte du Nord-Ouest. Il démontrait son savoir-faire au tir en traversant l'arène à l'emporte-pièce et en tirant sur des balles de verre bleues qu'un cow-boy envoyait en l'air. Durant quelques semaines, alors que le procès et l'exécution de Riel faisaient les manchettes, il était l'un des favoris des publics américains. Mais bientôt la nouveauté perdit de son attrait. Plus tard dans le cours de l'année 1886, quand le gouvernement canadien accorda l'amnistie à ceux qui avaient pris part à la révolte, Gabriel abandonna le spectacle. Doutant de l'amnistie offerte, il ne revint au Canada qu'en 1888. Pendant un certain temps, il fut pris en charge par les nationalistes québécois, faisant même un voyage à Paris. Malheureux parmi les gens de la ville, il erra durant quelques années à la frontière canado-américaine puis, finalement, revint à Batoche en 1893.

Là on lui avait laissé son ancienne terre, mais le ferry

Le Gabriel Dumont du Wild West Show

était passé à d'autres mains. Il n'essaya pas de refaire sa maison où sa femme et lui avaient vécu, ni de se remarier. Il préféra se construire une petite cabane de billes de bois sur la terre du jeune Alexis Dumont devenu depuis fermier à Bellevue, à neuf kilomètres au nord de Batoche. Dans les documents officiels de ce temps, Gabriel disait de lui: "Désormais voyageur, anciennement fermier." Il permit à d'autres Métis d'utiliser sa terre, s'occupant lui-même de chasser, pêcher, trafiquer un peu. Il s'absentait souvent durant des semaines au fond des forêts et des collines. Il vivait beaucoup de son passé, racontant la rébellion ou le temps de la chasse au bison.

Au printemps 1906 il partit en excursion de chasse au lac Basin, dans les collines situées à quelques kilomètres à l'est de Batoche. A son retour il se plaignit de douleurs à la poitrine. Mais comme il avait l'air en bonne santé, il pensa qu'il s'était simplement étiré les muscles. Dans les quelques jours qui suivirent, il vaqua à ses occupations habituelles, prenant des marches, pêchant et causant avec les amis qu'il rencontrait. Le samedi 19 mai 1906 il était allé faire une marche. A son retour il s'arrêta chez Alexis et demanda un bol de soupe. Il s'assit, mangea un peu puis, sans un mot, traversa la pièce vers un lit où il s'affaissa. Sa mort fut instantanée.

Quand Gabriel Dumont mourut, le monde continua de tourner, car le monde ne le connaissait pas. De la cause qu'il avait défendue si férocement, du mode de vie qu'il avait incarné avec tant d'éclat il ne restait à peu près rien dans le souvenir des Canadiens. Seuls les journaux locaux de Battleford et de Prince Albert signalèrent son décès. Mais quand il fut inhumé au cimetière du haut de la colline de Batoche, là où les morts de la Rébellion dorment sous leur énorme croix, les Métis étaient venus à cheval de toutes les parties de la région et les Cris des réserves de Beardy et de One Arrow firent entendre leurs pas. Ils remplirent la petite église balafrée des tirs du Gatling du lieutenant Howard. Le père Moulin, survivant de la rébellion, célébra le service funèbre, et de jeunes Métis du clan Dumont conduisirent Gabriel à son tombeau qui dominait ce point de la rivière où, vingt et un ans plus tôt, le Northcote s'était amené, sifflant follement dans le détour de la Saskatchewan pour annoncer le début de la bataille qui allait marquer l'heure la plus héroïque de la vie de Gabriel et la fin de la nation métisse.

Gabriel Dumont, vers 1900

Lectures complémentaires

Crowfoot, Carlotta Hacker, Toronto: Fitzhenry & Whiteside, 1977.
  Traduction française, Longueuil: Les Éditions Julienne Inc. 1978.

Crowfoot: Chief of the Blackfeet, H.A. Dempsey, Edmonton: Hurtig, 1972.

The History of the Northwest Rebellion of 1885, C.P. Mulvaney. Toronto: fac-similé réimprimé par Coles, en 1971, et initialement édité par A.H. Hovey and Co., Toronto, en 1885.

(Les Indiens des Plaines, 1980). James Forrester et al. Toronto: Fitzhenry and Whiteside, 1972.

Louis Riel, Rosemary Neering, Toronto: Fitzhenry & Whiteside, 1977.
  Traduction française, Longueuil: Les Éditions Julienne Inc. 1978.

North West Mounted Police. Neering R. Toronto: Fitzhenry & Whiteside, 1974.

La Police montée du Nord-Ouest. Neering R. Longueuil: Les Éditions Julienne Inc., 1977.

Poundmaker, D. Barnett. Toronto: Fitzhenry & Whiteside, 1976.

Poundmaker, D. Barnett. Longueuil: Les Éditions Julienne Inc., 1977.

Poundmaker, Norma Shumans, Toronto: McGraw-Hill Ryerson, 1967.

Reminiscences of Louis Cochin, O.M.I., Louis Cochin. Saskatoon: Star Publishing, Vol. 1, No. 2, 1927.

Settlement of the West, Rosemary Neering. Toronto: Fitzhenry and Whiteside, 1974.

La colonisation de l'ouest, Longueuil: Les Éditions Julienne Inc. 1978.

Sitting Bull: The Years in Canada, Grant MacEwan. Edmonton: Hurtig, 1973.

The Treaties of Canada with the Indians, The Hon. Alexander Morris, P.C. Toronto: fac-similé réimprimé par Coles et initialement édité par P.R. Randall, Toronto, en 1862.

Voices of the Plains Cree, Edward Ahenakew. Toronto: McClelland and Stewart, 1973.

Remerciements

L'éditeur désire exprimer ses remerciements aux organismes suivants qui lui ont donné l'autorisation de reproduire, dans ce volume, des illustrations dont ils sont les propriétaires.

Institut Glenbow, Alberta
Société historique du Montana
Bibliothèque du Grand-Toronto
Archives publiques de l'Alberta
Archives publiques du Canada
Archives publiques de l'Ontario
Archives du Saskatchewan

Direction: Cathleen Hoskins
Illustrateur: Jack Steiner
Direction générale: Robert Read, Roderick Stewart

Tout a été mis en oeuvre pour rapporter fidèlement les sources. L'auteur et les éditeurs apprécieraient recevoir toute information susceptible de corriger erreurs et omissions.